하루

하루

박성천
소설집

문학들

| 차례 |

미라

아내는 KTX 열차에 오르며 가볍게 손을 흔들었다. 나 또한 가볍게 손을 흔들어 주었다. 아내는 이번에 답사를 떠나면 한 2주 정도는 내려오지 못할 것 같다며 못내 미안해했다. 나는 이곳은 조금도 신경 쓰지 말고 이번 프로젝트나 잘 하라고 격려를 해 주었다. 열차가 출발하고 아내의 얼굴이 보이지 않자 습관처럼 소변이 마려 왔다. 나는 플랫폼을 빠져나와 곧장 화장실로 향했다. 아내를 배웅하고 나면 습관처럼 요의가 느껴졌다. 그러나 막상 소변기 앞에 서면 생각만큼 오줌이 나오지 않았다. 오줌 줄기가 가늘어지는 것이 나이 탓이려니 싶다가도, 막상 병원까지는 쉽게 걸음이 떨어지지 않았다.

소변을 보고 나오는데 라운지 어딘가에서 익숙한 이름이 들렸다. 정확히 말하면 TV 자막에 그녀의 이름이 쓰여 있었다. 벽면에 내걸린 커다란 TV 속 화면이 빠르게 바뀌고 있었다. 정연화. 나는 반사적으로 그 자리에 멈춰 섰다. 저마다 열차를 기다리던 승객들이 무슨 일인가 싶어 화면 쪽으로 고개를 돌렸다. 처음엔 그저 그런 일상적인 뉴스려니 싶었다. 경찰이 억대 도박 현장을 급습했는데 연행자 중에 그녀의 이름이 들어 있었다. 정연화. 나는 내 눈과 귀를 의심했다. 그녀는 두 손으로 얼굴을 가리고 고개를 숙였지만, 전체적인 분위기까지는 감출 수 없었다. 나도 모르게 눈을 비볐다. 정연화. 그녀가 아직 한국에 있다는 사실이 믿어지지 않았다. 무엇보다 그녀에게 돈을 빌려주고 떼인 사람들 가운데 대학교수를 비롯해 대학연구원들이 적지 않다는 자막이 화면에 비쳤다.

아내가 박사학위를 받고 전임교수가 되었지만 나는 여전히 지방대학 시간강사를 벗어나지 못했다. 이 대학 저 대학을 옮겨 다니며 보따리장수를 한 게 족히 칠팔 년의 세월이었다. 석사학위를 받고 나서부터 강의를 하러 다녔으니 이젠 이골이 나다시피 했다. 강의와 공부를 병행해 어렵게 박사학위를 받았을 땐 정교수가 될 수 있다는 막연한 기대도 가졌었다. 사실 박사를 따고 삼사 년까지는 교수가 될 수 있다는 어리석은 생각에 빠져 있기도 했었다. 그러나 말 그대로 그것은 기대에 지나지 않았다. 끊임없이 기대를 남발하며 이상을 유예해야 살 수 있는 사회였다. 그러나 보따리장수들은 그 사실을 알면서도 대학이라는 울타리를 벗어나지 못했다.

대학 사회는 카스트보다 더한 계급 사회였다. 층층시하의 구조였다. 이보다 더 가혹하고 징그러운 계급 사회는 없을 거였다. 최상위 정교수, 전임교수라는 타이틀 아래 피라미드처럼 무수히 많은 무늬만 교수인 사람들이 넘쳐 났다. 대학 사회가 철저하게 계급 사회로 재편된 탓에 철밥통 전임이 아니고서는 모두 신분이 불안한 계급으로 고착화돼 있는 게 현실이었다.

다행인 것은 아내가 교수 사회의 어렷한 구성원으로 자리를 잡았다는 사실이다. 전임도 전임이지만 경제적인 숨통은 무엇에 비할 바 없는 위안을 주었다. 그것은 달콤한 과일의 향처럼 우울한 기분을 상쾌하게 만들어 주는 효과가 있었다. 아내에게선 가 보지 못한 길을, 아니 오르지 못한 산을 등정한 이의 자신감과 전문가적인 포스가 느껴졌다.

그러나 아내의 역사학과 전임이라는 교수 자리가 현실적인 생계를 해결해 줄수록, 나는 점점 전업주부라는 역

할에서 벗어나지 못했다. 물론 일주일에 두 시간짜리 교양강의를 하는 시간강사였지만, 엄밀히 말하면 시간제 강의는 아르바이트 개념의 파트타임 일자리에 지나지 않았다. 가끔씩 뭣 모르는 학생들로부터 교수님이라고도 불리기도 하지만, 그때마다 듣기 거북한 편은 오히려 내 쪽이었다.

돌이켜 보면 첫 단추를 잘못 꿴 것이 화근이었다. 대학을 졸업하고 이 직장 저 직장을 유람하듯 떠돌았던 게 직접적인 원인이다. IMF 경제 위기로 취업이 단절된 세대라, 그즈음은 일자리만 있다면 일단 들어가 보자는 인식이 팽배했었다. 물론 부모가 돈이 있거나, 빽이 있는 경우라면 사회에 나오는 시간을 일정 기간 유예하고 취업 공부를 하는 애들도 없지 않았다. 그런 경우는 열에 하나 정도나 될까 말까 했고 대부분 졸업을 하면 직장을 구해 자신의 앞가림만큼은 해결해야 하는 게 기본적인 책무였다.

그동안 안 해 본 일이 없었다. 택배기사, 퀵서비스, 식자재 납품 기사, 시간제 아르바이트 등 할 수 있는 일은 거의 다 해 봤다. 마지막으로 했던 일이 학원버스 운전기사였다. 학생들을 실어 오고 실어다 주면 되는 간단한 일이었다. 물론 페이는 아주 적었다. 운전이야 웬만하면 할 수 있는 일이지만 안전사고에 대한 걱정 때문에 하루도 편한 날이 없었다. 조금만 신경을 쓰지 않았다간 큰 사고로 이어지는 게 운전이었다. 매일매일 같은 시간 같은 거리를 오가며 학생들을 실어 나르는 일은 생각만큼 쉽지는 않았다. 누군가의 안전을 매일매일 책임져야 한다는 것 자체가 무언가에 얽매이기 싫어하는 내게는 적잖은 스트레스였다.

차라리 이번 기회에 당신도 공부를 시작해 봐. 마냥 허송세월로 시간만 낭비하지 말고. 아내는 학원버스 운전으로 하루하루 시간을 죽이는 내가 탐탁지 않아 보였던 모양이다. 자리를 잡지 못하고 이 일 저 일 전전하는 게 안쓰럽기도 했을 것이다. 명색이 자신이 교수인데 남편이 학원 차량 운전이나 하고 있으니 시쳇말로 가우다시가 서지 않았을 것이다.

아내는 어느 날인가 공부를 해 보는 게 어떻겠느냐고 진지하게 물었다. 처음엔 그저 듣기 좋아라고 하는 소리려니 의미를 두지 않았지만, 아내의 표정은 사뭇 진지했다. 공부를 해 보는 게 어떻겠느냐는 말을 꺼낸 지 한 달여쯤 지났을까. 아내의 손에 서류 봉투가 들려 있었다. 일주일에 한 번 꼴로 집에 오는 아내의 손에 뭔가 들려 있다는 것은 대체로 내게는 좋은 쪽이었다. 과일을 사 온다던가, 봉투에 용돈이 들어 있다던가 하는 경우였다. 그러나 이번에는 제법 두툼한 서류 봉투였다. 아내는 인근 지역 대학에서 가을학기 대학원 모집 공고가 났다며 가볍게 내밀었다. “그냥 아무 생각 말고 지원부터 해 봐. 요즘 대학원은 학생들이 없어 지원만 하면 거의 합격을 한다고 하니까 합격할 거야. 밑져야 본전이지 뭐.”

연화를 만난 건 대학원 석사과정 때였다. 정확히 말하면 연구자들의 논문 발표가 끝나고 진행된 뒤풀이 장소에서였다. 논문 발표가 끝나면 연구자들과 교수들이 모여 식사자리를 하는 것이 통례였다. 그날 나와 몇몇 연구자들은 논문 예비발표를 했었다. 나는 관심 분야이자 전공과도 연계되는 ‘문학과 서사’라는 주제에 대해 발표를 했다. 정연화는 ‘제2외국어의 관점에서 한국어를 학습하는 방법’이라는 주제로 발표를 했던 것 같다. 모두 석사과정 5명이 정식 논문을 쓰기 위한 전 단계로 예비발표를 했던 것이다.

아내의 권유로 그렇게 2년간 대학원 석사과정을 공부했다. 관심 분야이고 학부의 전공이기도 해서 그다지 어려운 점은 없었다. 과정을 수료하고 다시 1년간 논문 발표를 위한 종합시험과 외국어 시험공부를 했다. 마흔이라는 늦은 나이에 입학한 대학원이라 모든 것이 낯설고 촉박하게 진행되는 느낌이었다. 그나마 다행인 것은 나이를 먹고 시작한 공부라 텍스트에 대한 이해의 폭이 조금 넓어졌다는 것은 일말의 장점이었다.

논문 예비발표는 얼추 15여 분만에 끝났다. 모두 다섯 명이 발표를 하고 중간에 휴식 시간이 잡혀 있어 생각만큼 길게 할 수는 없었다. 발표를 하고 나면 교수들과 연구자들의 날카로운 질문이 뒤따랐는데, 핵심을 찌르는 좋은 질의도 있지만 어떤 경우는 지적을 위한 질문에 지나지 않았다. 자신의 권위와 전문성을 부각하려는 질문은 당초 의도와는 다르게 감정적인 언사로 이어지기 일쑤였다. 정식 논문을 쓰기 위한 전 단계에서 완벽한 페이퍼를 발표하기는 무리라는 것을 그 시절을 지나온 자신들이 누구보다 잘 알고 있었다. 지난한 과정을 거쳐 논문을 쓰고 전업강사가 되고 교수까지 임용됐으면 아랫사람에 대한 아량이 있어야 하는데 그러지 못한 이들이 태반이었다.

정연화는 거의 완벽한 발표를 했다. 세부전공이 달라 그전에는 어느 정도 연구 역량이 있는 학생인지 몰랐지만 분명 흠잡을 데 없는 발표라는 느낌이 들었다. 조선족 동포라고 생각되지 않을 정도로, 아니 한국 학생 못지않은 전공에 대한 전문적인 지식을 갖추고 있었다. 전체적인 연구 개요와 내용이 좋은 논문을 쓸 수 있는 연구자라는 기대감을 갖게 했다. 종합 토의시간에 지도교수 또한 그녀의 연구력과 성실성에 대해 상찬에 가까운 부연을 했다. 지도교수의 의당 제자에 대한 의례적인 배려일 수도 있지만, 누구도 이에 대해 부정할 수 없을 만큼 그녀의 페이퍼 내용이 좋았다. 뒤이어 정연화와 같은 사문에 소속된 선임강사 또한 조심스럽게 근래에 보기 드문 논문 계획서를 본 것 같다고 의견을 표명했다. 논문 발표장은 모처럼 부드러운 분위기가 흘렀다. 세부 전공 지도교수와 사문의 선임 강사가 그렇게 칭찬으로 방어막을 쳐버리니 다른 젊은 교수나 박사급 연구자들은 뭔가 다른 시각의 질문을 하기가 난감해져 버렸다. 다른 대학원생이나 연구자들도 그녀의 발표에 대해 대체적으로 공감하면서도, 한편으로는 제자를 아끼고 신뢰하는 지도교수와 사문 선배의 태도에 대해 짐짓 부러워하는 모습이었다.

"논문 방향을 잘 잡은 것 같아요. 오늘 발표한 내용을 잘 연구한다면 좋은 논문이 될 것 같아요."

예비발표가 끝나고 회식자리에서 나는 그녀에게 아는 체를 했다. 언어학과 문학이라는 세부 전공이 다른 탓에 함께 수업을 듣지 못했지만 소문을 듣고 있던 차였다. 이미 박사학위를 따고 강의를 하고 있는 강사들이나 단대 연구소에 소속돼 있는 연구원들도 그녀의 연구에 대한 열정이나 태도 등에 대해 인정을 하는 분위기였다.

"별 말씀을요. 아직은 모르는 게 너무 많거든요. 어떻게 본 논문을 써야 할지 감이 잡히질 않네요."

맞은편에 앉은 그녀는 겸손해하는 표정으로 자신을 낮췄다. 그러면서 논문을 쓰게 되면 도움을 좀 달라며 부탁을 했다.

"아니요. 정 선생님은 충분히 좋은 논문을 쓸 수 있을 것 같은데요. 저는 아직 논문 목차 정도만 잡아 놨지, 구체적인 세부 내용까지는 아직 멀었어요. 오히려 제가 도움을 받아야 할 것 같아요."

그렇게 몇 마디 대화를 나누었던 게 그녀에 대한 처음의 기억이었다. 연변에서 유학을 왔다는 그녀는 그렇게 많은 이들에게 여러 면에서 인정을 받고 있었다. 첫인상에서도 보통의 여느 중국 학생들과는 다른 분위기가 감돌았다. 한국어를 거의 완벽하게 구사했고 어투나 어조도 거의 한국 사람들과 유사했다. 그녀가 논문을 쓰는 과정에서 도움을 부탁한다고 했지만 내가 도움을 주지 않아도 충분히 혼자서 해낼 역량을 갖고 있었다.

"논문 외에도 다른 학교생활 하는 데 궁금한 점이 있으면 문의를 해도 괜찮을 지요?"

"그렇게 하세요. 헌데 제가 뭐 특별히 도와드릴 일이 있을까 싶네요. 워낙 정 선생님이 뛰어난 분이라서…."

그녀는 생각보다 낯가림이 없었다. 이런저런 대화를 나누면서 외국에서 유학 온 학생이라는 거리감이 들지 않았다. 아마도 학부에서 바로 대학원으로 올라온 젊은 학생들보다는 사회생활을 하다 들어온 나 같은 사람이 상대하기가 편했을 수도 있다. 그녀는 안면을 튼 이후로 제법 살갑게 나를 대했다. 나 역시 또래의 대학원생들이 거의 없었기 때문에 그녀와 어울리는 것이 딱히 싫지는 않았다.

그날 이후 그녀는 논문을 쓰다가 막히거나, 학교생활에 대해 궁금한 점이 있으면 전화를 해 왔다. 대부분 차 한 잔 사 달라는 이유였지만, 한편으로는 유학생활의 외로움과 지친 마음을 편한 사람과 차 한 잔 마시며 달래려는 심사도 있는 것 같았다. 그럴 때면 그녀는 시간을 내줘서 고맙다는 답례로 종종 점심을 사거나 커피를 사기도 했다. 사회생활을 하다 늦은 나이에 공부를 하는 나나, 유학을 온 조선족 출신의 그녀나 딱히 어울릴 만한 상대가 없었기에 우리는 동료로서 그렇게 서로를 격려하며 공부를 했다.

한때 잊고 있던 그녀를 다시 떠올린 것이 휴일 저녁 뉴스 자막에서라니. 얼핏 그녀의 모습은 예전과 많이 달라져 있었다. 머리를 짧게 자르고 진한 갈색으로 염색을 했지만 그렇다고 인상이 크게 달라져 보이지는 않았다. 그러나 예전의 공부를 열심히 하던, 학구적인 이미지와는 다소 다른 느낌이 묻어났다. 뭐랄까. 중국 학생이라기보다는 한국의 전형적인 삼십 대 직장인 여성 같다는 생각이 들었다.

논문 예비발표를 했던 게 벌써 칠팔 년 전의 일이었다. 이후 정연화는 석사 논문을 무사히 마치고 중국으로 돌아간 것으로 알려져 있었다. 얼마 후 그녀가 중국에서 교수로 임용됐다는 소문을 듣기도 했었다. 열심히 공부를 한 대가가 좋은 결과로 이어져 참 잘 됐다고 생각을 했었다.

그런 그녀가 사기 사건에 연루돼 있으리라고는 꿈에도

생각하지 못했다. 적지 않은 액수의 돈을 빌리고 갚지 않은 데다 함께 계모임을 한 이들의 돈까지 죄다 챙겼다는 사실이 믿어지지가 않았다. 한마디로 전도유망한 중국 유학생이 몇 년 사이에 사기꾼으로 전락해 버린 것이었다. 한 편의 소설 같았다. 아니 소설이었다. 세상에 소설 같은 일이 얼마나 많이 일어나는지 모르지는 않지만, 막상 이편이 아는 누군가에게 그런 일이 일어났을 때는 소설 같다는 말 외에는 달리할 수가 없었다.

스치듯 지나가 버린 화면 속의 정연화 모습을 떠올리다 말고 아내의 말이 귓속으로 밀려 들어왔다. “사람은 잘 바뀌지 않지만, 또 사람만큼 잘 바뀌는 부류도 없어.” 언젠가 아내는 대학에 관한 이야기를 하다 말고 그렇게 규정을 했다. 대학을 울타리로 밥벌이를 하는 사람들을 보면 다양한 인종 백화점을 보는 것 같다면서 쓴웃음을 지었다.

고고학 분야를 전공한 아내는 세상에는 다양한 인종이 있지만 역사를 거슬러 가 보면 거기서 거기라고 했다. 인간은 여느 인종을 막론하고 대부분 비슷비슷하다는 지론이었다. 아내는 유명 정치인들의 자녀 입시비리가 터질 때마다 입버릇처럼 말하곤 했다.

"다들 겉으로는 고상한 척, 교양 있는 척 연기를 하지만 따지고 보면 속물 아닌 인간들이 없거든. 자식 문제만큼은 지위나 계층의 문제가 아니라 모든 인종, 모든 사람들의 공통된 문제야. 그래서 말인데, 차라리 자식이 없는 게 상팔자거든. 요즘 들어선 자식 없는 게 그렇게 위안이 될 수 없어."

아내는 요즘 들어 부쩍 아이를 갖지 않은 것을 다행으로 생각했다. 자식이 있으면 모두 다 속물이 될 수밖에 없다는 현실을 역겨워했다. 그때마다 나는 속물의 대표자가 사실은 당신인데 말이야, 라고 말을 하려다 입을 다물고 말았다. 공부하는 것이 좋아 평생 학문의 길을 가고 싶다고 말하던 오래전 아내의 모습이 오버랩되었다.

아내가 교수가 된 후 달라진 게 있다면 여유였다. 예전과 다르게 초조함은 찾아볼 수 없었다. 조직의 울타리가 주는 편안함일 터인데 아내는 집에 내려왔다가 다시 기차를 타고 지방으로 갈 때면 한결 너그러워졌다. 인자와 자애의 표정이 넘쳤다. 티켓팅을 하고 개찰구를 빠져나가는 아내에게선 교수라는 직위가 주는 근엄과 자부심도 배어 나왔다. 저 사람이 정말 내 와이프가 맞는 것일까. 나는 아내의 뒷모습이 사라질 때까지 반복해서 돌아

보았다. 자리가 사람을 만든다는 말은 아내를 두고 하는 말인 것도 같았다. 더 이상 보따리 장사 못 해 먹겠다고 어린아이처럼 떼를 쓰던 때가 바로 엊그제 같은데, 아내는 전임이 되고서는 다시금 예전처럼 학문에 대한 열정이 솟는다며 대학에 갓 입학한 새내기처럼 들뜬 표정을 짓곤 했다. 아니 당장이라도 학계를 떠들썩하게 할 만한 놀라운 연구를 해낼 것처럼 보였다.

그렇게 운전면허증이 없는 아내는 수년째 열차를 이용해 집과 직장을 오갔다. 천성적으로 기계에 젬병인 데다, 그동안 공부하고 강의하느라 운전을 배울 만한 시간적인 여유가 없었던 탓이다. 마음만 먹으면 면허증을 딸 수 있는데도 아내는 여전히 운전을 내켜 하지 않았다. 매번 일요일이면 심야 열차로 학교가 소재한 인근 지방 도시로 떠나는 일이 일상이 되고 말았다. 아내도 아내지만 그때마다 배웅을 해야 하는 나로서도 적잖이 불편했다. 며칠 전에는 명색이 교수가 운전도 할 줄 모른대서야 말이 되느냐며 면박 아닌 면박을 주기도 했지만 아내는 이렇다 할 반응을 하지 않았다. 아내는 자신이 옳다고 믿는 일은 여간해서는 바꾸지 않았다. 별 수 없이 심야 시간에 아내를 배웅하는 번거로운 일은 천지가 개벽하지 않고는 바뀌지 않을 것 같았다.

아내를 배웅하고 돌아오면 해야 할 일이 쌓여 있다. 하루만 신경을 쓰지 않아도 표가 난다는 것을 집안일을 하면서 알게 되었다. 전업주부라는 게 생각만큼 쉬운 일은 아니었다. 청소하고, 세탁기 돌리고, 분리수거를 하는 일이 자연스러운 일과로 다가오기까지는 숱한 반복의 시간이 있었다. 어느 날은 집안일만 하다 보면 꼬박 반나절이 지날 때도 있었다. 세상 이치라는 게 반복 속에서 친근함을 느끼게 되는 법이었다. 아무것도 하지 않고 있으면 내 자신이 이 집에 떠밀려 들어와 기거하는 타인으로 생각되었다. 아내 명의로 구입한 아파트는 우리 두 사람이 살기에는 조금은 넓은 평수였다. 그전에 살았던 빌라도 두 사람이 살기에는 그다지 불편함이 없었다.

지금의 아파트는 아내가 정교수에 임용되고 얼마 후 대출을 받아 산 거였다. 대출금을 70%까지 융자 받은 터라 사실상 은행의 소유나 다름없다. 대출금 상환이 완료되는 무렵이면 아내 또한 얼추 퇴직할 시간이었다. 적어도 아파트 대출금을 완납하기 전까지 아내가 대학에서 잘리거나 스스로 그만두는 불상사는 일어나지 않기를 바래야 하는 처지였다. 어떻게 해서 잡은 전임인데 아내가 그 자리를 그만둘 리 만무하지만, 설령 그만둔다고 해도 내가 말려야 할 처지였다.

집에 돌아와 잠시 이것저것 아내의 흔적을 정리하다 말고 조금 전 TV에서 봤던 정연화의 얼굴이 스치듯 떠올랐다. 도대체 그동안 그녀에게 무슨 일이 있었을까. 화면 속의 그녀는 예전에 내가 알았던 모습과는 많이 달랐다. 아무래도 칠팔 년의 시간이 흘렀기 때문에 얼굴의 인상이 조금 변했을 수도 있다. 그러나 억대의 도박을 할 만큼 그녀가 간이 큰 여자였을까라는 점은 이해가 되지 않았다. 내가 아는 그녀는 도박이나 잡기와 같은 것에는 조금의 흥미도 없었다. 적어도 내가 아는 그녀는 하루라도 빨리 학위를 취득해 안정된 자리를 잡거나 고국으로 돌아가는 것이 목표였을 것이다. 아니 내가 그녀를 온전히 몰랐을 수도 있다. 무엇이 그녀의 진짜 모습인지 모르지만, 내가 기억하는 그녀는 사람을 상대로 사기를 치거나 도박에 휩쓸리는 그런 모습과는 거리가 멀었다.

내가 온전히 그녀에 대해 몰랐을 수도 있다. 그녀가 공부를 열심히 한 건 맞지만, 나름의 고민은 있었을 것이다. 당시 그녀는 대학 인근 원룸촌에서 자취를 했다. 그러다 보니 생활비다 학비다 해서 적잖이 돈이 들어갔을 거였다. 가난한 유학생 신분에 이런저런 돈을 감당하기가 벅찼지 않았을까 싶다. 물가가 중국에 비해 비싼 탓도 있지만, 사실은 이곳에서 돈을 벌어 중국에 있는 집에다 보내는 눈치였다. 한국식으로 말하면 학생 가장이나 다름없었다. 다행히 논문을 쓰는 기간은 시간 조절을 할 수 있기 때문에 그녀는 아르바이트를 하며 두 일을 병행했다.

언젠가 한번은 밤늦은 시간에 전화가 왔다. 열 시나 열한 시경에 오는 전화는 지인이 술자리에서 불러내는 전화이거나 잘못 걸려 온 전화가 대부분이었다. 간혹 지방에 있는 아내로부터 갑자기 보고 싶다거나 소식이 궁금해서 오는 경우도 있었지만, 열에 한두 번이었다. 사실 아내가 주중에는 없기 때문에, 늦은 시간에 전화가 와도 신경을 쓰지 않아도 되는 것은 그 자체로 다행이었다. 아내가 있었다면 전화를 받을 수도 없었고 아예 늦은 시간에는 전화기를 꺼 놓았을 것이다.

"선생님 저 좀 도와주세요. 전화로는 말하기가 그렇고, 잠깐 나올 수 있으세요?"

그녀는 거의 울먹이다시피 부탁을 했다. 밤 열두 시가 다 된 시간이었다. 아무리 같은 대학원에서 공부를 하는 늦깎이 학생이라 해도 그렇지 심야 시간에 전화를 해서 나와 달라고 말하는 것은 결례였다.

"무슨 일인데요? 지금 시간은 조금 나가기가…."

나는 가급적 안 나갔으면 하는 마음으로 말을 흐렸다.

"늦은 시간에 결례인 줄 알지만, 제가 드릴 말씀이 있어서요. 잠깐이면 돼요."

평소와는 다른 진지한 말투가 거부할 수 없는 묘한 압력으로 다가왔다. 한편으로는 뭔가 심상치 않은 일이 일어난 것 같은 묘한 호기심마저 일었다. 평소에 만나 논문에 대해 이야기를 나누던 느낌과는 달랐다. 여느 때라면 논문을 쓰기 위해 필요한 자료를 어디서 구할 수 있는지, 시중에 나와 있는 외국인을 위한 한국어 교재로는 어떤 게 있는지, 외국인을 대상으로 한국어를 가르치는 기관은 어떤 곳이 있는지 등을 물었을 것 같았다.

그날, 거리는 밤늦게 내린 비로 흥건하게 젖어 있었다. 생각보다 굵은 빗줄기가 들이치는 탓에 도로는 미끄러웠고, 택시를 잡으려는 사람들로 승강장은 평소보다 붐볐다. 강한 바람을 타고 내려오는 빗줄기는 흡사 장전된 소총의 입구에서 뿜어져 나오는 탄환 같았다. 그녀가 알려 준 술집은 대학 원룸촌이 자리한 마을에 있었다. 연변 양꼬치구이. 붉은색 간판과 붉은색 휘장이 여느 중국의 후미진 식당에 와 있는 듯한 묘한 느낌을 주었다. 물이 흥건히 고인 도로는 상가 불빛을 받아 우중충하게 반짝였는데, 마치 얼근히 술이 오른 건장한 사내의 불콰해진 얼굴을 연상케 했다.

"안 오실 줄 알았어요. 실례인 줄 알면서도 전화를 하고 말았네요…."

그녀는 격자 창문 옆 테이블 쪽에 앉아 자작을 하고 있었다. 긴 머리카락에 반쯤이나 가린 얼굴이 붉게 달아올라 있었다. 중국 연변의 술집의 모습을 그대로 본떴다는 내부는 우리의 지난 시절의 술집과 유사했다. 다른 게 있다면 지나치게 붉은 색상과 거칠고 투박한 디자인들이 조금 눈에 거슬린다는 점이었다.

"괜찮아요. 살다 보면 밤늦은 시간에 지인에게 전화를 할 수도 있지요. 정 선생님한테 무슨 급한 일이 있는 것 같아서."

날씨 탓이었을까. 아니면 불그스름한 조명 탓이었을까. 그녀의 입가에 드리워진 미소엔 우울의 그림자 같은 게 배어 있었다. 화덕에서 양꼬치가 맛있게 익어 가고 있었다. 그녀는 중국 컵술인 코우베이를 내밀었다.

"조선족 동포들이 좋아하는 술과 안주예요. 요즘은 한국인들도 많이 마시더라구요. 물론 국경이 없는 세상이라고 하지만."

그녀가 건배를 권하듯 코우베이를 내 앞쪽에 두었다. 식당 아주머니가 커다란 접시에 선홍빛이 감도는 몇 개의 꼬치를 내왔다. 그리고는 탄통 크기의 화덕에 얼마의 숯불을 더 넣었다. 양꼬치에서 떨어진 기름이 숯불에 닿자 자두 빛깔의 불꽃이 화르르 피어올랐다. 밖은 조금 전보다 빗줄기가 세차게 쏟아져 내렸다.

그녀는 빙빙 말을 돌릴 뿐 정작 하고자 하는 말은 하지 않았다. 단도직입적으로 물을까 망설이다 나는 입을 다물었다. 굳이 그럴 필요가 있을까 싶었다. 그녀는 연거푸 술을 마셨다. 이번에는 숯불에 알맞게 구워진 꼬치구이를 하나 내밀었다. 기름이 빠진 고기는 먹음직스러웠다.

"양꼬치구이는 드셔 봤나요? 여기 즐란이라는 향신료에 찍어 드시면 색다른 맛을 느낄 수 있을 거예요."

"몇 번은 먹어 봤죠. 술안주로 좋은 것 같아요. 기름기가 그다지 많지도 않고 씹는 맛도 좋고 고소하고. 삼겹살이나 소고기와는 다른 고유의 맛이 있는 것 같더라구요."

양꼬치구이를 음미하면서도 머릿속은 무슨 이유로 그

녀가 이 시간에 보자고 했을까 의문이 가시지 않았다. 공부에 대한 압박감을 토로하려는 것인지, 아니면 한국의 유학생활에 대한 어려움을 털어놓으려는 것인지 감이 잡히지 않았다. 나는 술을 들이켜다 말고 넌지시 그녀의 얼굴을 바라보았다. 붉은 루즈를 지나치게 바른 듯한 입술이 선홍빛의 양고기 빛깔을 닮아 있었다. 통통하면서도 선이 굵은 탓에 얼굴에 드리워진 음영이 깊고 짙어 보였다. 전체적인 외양만 보면 나이 드신 어른들이 복스럽다고 하는 전형적인 얼굴이었다.

빗줄기가 조금 가늘어졌다. 사실은 빗줄기가 굵어졌다 약해졌다는 반복하고 있었다. 실내 특유의 불그스름한 장식과 조명, 숯불이 이국적인 분위기를 자아냈다. 유리창에 반사된 붉은 꽃무리의 풍경이 아름답다기보다 쓸쓸해 보였다. 투명한 밀폐 용기에 담긴 코우베이라는 컵술은 생각보다 독했다. 우리나라 소주와 중국의 이과두주를 섞은 맛이었다. 마시고 난 뒤의 알싸한 맛이 강하게 목구멍을 자극했다. 식도를 타고 위장으로 내려가는 느낌이 싸르르하게 온몸으로 번졌다.

"정 선생님, 무슨 일 있으세요?"

나는 단도직입적으로 물었다. 궁금증도 궁금증이었지

만, 더 이상 시간을 지체했다가는 한도 끝도 없을 것 같았다.

"비가 와서 그런지 그냥 고향의 술을 마시고 싶었어요. 술 한잔 마시다 보니 친구처럼 말동무를 할 사람이 필요하잖아요. 그래서 망설이다 최 선생님을 부르게 된 거구요. 저한테 여러 가지로 친절하게 대해 주시고 공부하는 데 필요한 도움도 많이 주셨잖아요."

나는 빤히 그녀를 쳐다보았다. 그것이 과연 늦은 시간에 불러낸 이유일까 싶었다. 그런 이유라면 좋은 날씨에 굳이 늦은 밤에 술자리에 불러내지 않아도 되었다. 기분이 나쁘지는 않았다. 그러나 뭔가 그녀가 하고 싶은 말은 그것이 아닐 거였다. 혹시 중국의 가족들에게 무슨 일이라도 생긴 것일까. 아니면 한국에서 안 좋은 일이라도 있는 것은 아닐까.

"그런 이유라면 점심 때 밥이나 한번 사면 될 것을요. 그리고 그런 정도는 도움도 아니구요. 누구나 할 수 있는 일인데…."

숯불의 열기 탓인지 술기운 탓인지 그녀의 얼굴이 화끈 달아올랐다. 빨갛게 달아오른 오동통한 얼굴이 한겨울 밖에서 놀다 들어온 어린아이의 얼굴을 연상케 했다.

붉은 입술이 술기운 탓인지 조금보다 더 붉게 보였다. 그녀는 아무 말 없이 화덕 위에 놓인 꼬치를 이리저리 돌렸다. 그리고 고기가 어느 정도 익자, 꼬치에서 고기를 분리해 접시 위에 놓았다. 식탁 위에는 즐란이라는 향신료 외에도 굵은 소금과 후추가 놓여 있었다.

"최 선생님, 사실은 부탁 드릴 일이 있어서요. 이렇게 나와 준 것만도 고마운데 부탁을 하려니 말이 잘 안 떨어지네요."

그녀는 못내 망설이다 말을 꺼내는 표정이었다. 이제 말을 하려나 보구나, 나는 가만히 그녀의 얼굴을 쳐다보았다.

"괜찮아요. 하고 싶은 말 있으면 하세요."

나는 가볍게 고개를 끄덕이는 것으로 은근한 재촉을 대신했다.

"……돈 좀 빌려주세요. 한 3천만 원만."

"네?"

나는 이게 무슨 소리지, 잘못 들었나 싶어 물었다.

"돈 좀 빌려주세요. 어려운 부탁인 줄 알지만, 최 선생님은 제 부탁을 들어주실 것 같아 연락을 드렸답니다. 만약 돈을 빌려주기가 어렵다면 보증을 좀 서 주시든지요."

"글쎄요. 무슨 말인지…"

나는 그녀의 얼굴을 빤히 쳐다보았다. 전혀 예상하지 못한 말이었다. 지금 상황이 어떤지 모르지만 나와 그녀가 돈을 빌려주고 빌릴 만큼 그런 관계일까 싶었다. 설령 돈을 빌리고 싶다는 생각은 할 수 있겠지만 직접적으로 말을 꺼내기는 어려울 텐데 말이다.

잠시 침묵이 흘렀다. 그녀는 말없이 술을 마시다 말고 가만히 내 얼굴을 쳐다보았다. 이편의 마음을 훤히 꿰뚫고 있다는 표정으로 보였다. 사실 빌려줄 돈도 없을 뿐더러 쥐꼬리만 한 용돈도 아내에게 타 쓰는 형편인데, 빌려주고 말고 할 계제가 못 되었다.

"그것도 어려우시다면 선생님 사는 집을 담보로 돈을 빌려줄 수 없을까요? 그럴 만한 사정이 있어서 결례를 무릅쓰고 부탁을 하는 거예요. 자세한 이야기는 나중에 알려 드릴게요."

그녀는 갈수록 알아들을 수 없는 말을 했다. 도대체 나에 대해 뭘 안다고 그런 말까지 꺼내는지 도시 이해가 되지 않았다. 한편으로는 뭔가 심상치 않은 일이 있나 보다라는 생각도 없지 않았다. 그러나 아무리 그래도 그렇지 살고 있는 아파트를 담보로 돈을 빌려 달라는 것은 말도 안 되는 소리였다. 아파트가 아내의 명으로 돼 있는데다, 대출을 하려면 아내의 인감이나 주민등록증 같은 서류들도 있어야 했다.

즐란에 찍은 꼬치구이의 맛이 입안에서 겉돌았다. 지나치게 강한 향신료 때문에 고기를 씹는 게 거북했다. 마치 고무를 씹고 있는 것처럼 입안에서 이물감이 느껴졌다. 술을 털어 입에 넣자 목구멍을 타고 강한 향신료가 몸속으로 스며들었다.

바지춤에서 휴대폰의 진동이 느껴졌다. 이 시간에 누구일까. 내가 조금 망설이는 모습으로 보였던지 그녀는 "저 신경 쓰지 말고 휴대폰 확인하세요."라고 아무렇지 않은 표정으로 말했다.

조금 전보다 빗줄기는 굵어져 있었다. 날씨 탓에 우리 외에는 손님이 없어서인지 실내가 더 휑해 보였다. 창문에 비치는 중국풍의 붉은 글씨가 불빛에 반사돼 너울너울거렸다. 연변의 어느 낯선 지역에 버려진 채 혼자 술을 마시는 것 같았다. 빗줄기 너머로 보이는 세상은 이편에 존재하지 않는 무명의 섬처럼 다가왔다. 불빛이 섞인 빗줄기는 흡사 하늘에서 뿌려지는 새하얀 소금가루 같아 보였다.

예상했던 대로 아내의 문자였다. 하필 이 시간에 문자를 보낼까. '지금 뭐해?' 아내는 간혹 밤늦은 시간에 문자를 보곤 했다. 자신이 집에 없다고 조금이라도 헛짓거리 할 생각은 하지 말라는 신호였다. 내가 주변머리도 없는 데다 책상물림이어서 대부분 시간을 집 안에 틀어박혀 논문을 쓰거나 관련 책을 읽는 줄 알면서도, 아내는 종종 밤늦은 시간 문자를 보내곤 했다. 무슨 딴짓을 할까 봐 걱정이 되는 모양이었다. 아니면 아내도 잠이 오지 않아 무료함을 달래려 문자를 보내는 것인지 몰랐다. '논문 쓰고 있지. 뭐하기는. 당신은 뭐해?' 나는 평소대로 문자를 보냈다. '쉬엄쉬엄 하라구. 비도 오고 센티한 기분이 들어 문자하는 거야.' 예상했던 답이었다. '이런 날은 감기 들기 쉬우니까 조심해.' 나는 아내에게 우산 모양의 이모티콘을 전송했다. '당신 정말 논문 쓰고 있지? 그럼 인증 샷 좀 보내 봐.' 아내는 평소와 달리 진짜 집에 있는지 의심을 하는 것 같았다. 열에 한두 번 인증샷을 보내라는 문자가 오는데 오늘이 그날인 모양이었다.

혹여 비가 오는 야심한 시간에 다른 여자를 만나고 있다는 사실을 알아챈 것은 아닐까. 나는 괜스레 찜찜한 생각이 들었다. 동료 대학원생이 급한 일이 있다 해서 잠시 나왔는데, 마치 아내가 생각하는 딴짓을 하고 있는 것 같아 괜스레 미안하고 불안한 기분이 들었다. '화장실에서 일 보고 있단 말이야.' 나는 다시 문자를 보냈다. '정말? 믿어도 돼???' 물음표를 세 개나 보낸 건 정말로 믿어도 되냐는 의미였다. '그럼 화장실 일 보는 것 정말 찍어 보낼까?' '그래 우리 남편 믿지 믿어. 그나마 바람이나 안 피우니까 데리고 사는 것 잘 알지? 바람 피우면 정말 죽음이야!' 아내의 의례적인 문자는 거기서 멈췄다.

그러나 늦은 밤, 비 내리는 시간 다른 여자와 술잔을 마주하고 있는 지금의 상황이 부자연스러운 건 사실이었다. 괜히 나왔다는 생각도 들었다.

"와이프가 선생님을 많이 사랑하나 봐요?"

물끄러미 바라보고 있던 그녀가 입가에 옅은 미소를 지으며 물었다. 나는 마땅히 대답할 말이 없어 입을 다물었다. 머릿속에는 왜 그녀가 갑작스럽게 돈을 빌려달라고 그랬을까, 하는 의문이 빙빙 돌았다. 그러면서 한편으로 문득 아내는 지금 뭐하고 있을까 호기심이 일었다. 나는 한 번도 늦은 시간, 아내에게 전화를 걸거나 문자로 뭐하고 있는지 묻지 않았다. 아내에 대한 믿음 때문이었을 게다. 생계를 책임지는 실질적인 가장에 대한 배려가 더 솔직한 답이었을 것 같다.

“그만 일어나야 할 것 같네요. 돈 얘기는 안 들은 걸로 할게요.”

나는 남은 잔을 마저 비우고 일어섰다. 밖으로 새하얀 나무뿌리 같은 빛이 어른거렸다. 번개였다. 얼마 후 “쾅” 하는 천둥 소리가 들려왔다.

“최 선생님 그런데 어쩌죠? 만약 최 선생님이 거절한다면 저는 더 이상 희망이 없거든요. 이유는 묻지 말아 주세요. 이대로 저의 부탁을 거절하고 가시면 저는 이제 모든 것을 포기할 수밖에 없어요.”

갑자기 그녀가 다가오더니 볼에 입술을 댔다. 불그스름한 조명을 받아 그녀의 눈빛이 빨갛게 충혈된 것처럼 보였다. 투박하고 짧은 그녀의 손가락이 신경질적인 내 손가락과 묘한 대비를 이루었다. 나는 나도 모르게 그녀의 손을 잡고 말았다. 손은 뜨거웠고 물기가 젖어 있었다. 아내에게선 느낄 수 없었던 어떤 감정이, 오랫동안 느껴 보지 못했던 편안함이 그녀의 손을 통해 전달해져 왔다. 나는 그녀의 고개를 한 손으로 젖히고 내 입술을 그녀의 붉은 입술에 대었다. 뜨겁고도 축축한 느낌이 불꽃처럼 일어, 한동안 정신을 잃어버린 것 같은 아늑함이 밀려왔다.

그리고 밀려드는 값싼 향수 같기도 하고, 향신료 같기도 한 냄새가 코끝을 파고들었다. 나는 반사적으로 그녀를 밀치려다 말았다. 그녀의 입술에서 어떤 알 수 없는 외로움의 냄새가 후욱 번져 왔다. 나는 순간 정신을 차렸다. 그리고 지갑에서 돈을 꺼내 카운터에 올려놓고는 서둘러 밖으로 나왔다.

밖은 다시 빗줄기가 세차게 쏟아져 내렸다. 본격적인 장마철이 시작될 모양이었다. 길고 긴 우울한 시간이 이어질 것이다. 나는 횡단보도를 건너 택시 승강장 쪽으로 걸어갔다. 바람에 우산이 심하게 흔들거렸지만 뒤집어지지는 않았다. 건너편 양꼬치구이집이 실루엣처럼 비바람에 어른거렸다. 어둠 속에서도 또록하게 빛나는 붉은 글씨가 비바람에 흔들려 몽환적으로 보였다.

비가 내린 거리는 한산했고 택시는 오지 않았다. 얼마 후 낯선 사내가 양꼬치구이집으로 들어가는 모습이 보였다. 중년의 사내는 어디선가 많이 본 듯한 얼굴 같았다. 자세히 알 수는 없지만 낯이 익었다. 그러나 흐릿한 날씨 때문에 분간하기는 어려웠다. 나는 택시를 기다리다 말고 서서히 걷기 시작했다. 인적이 뜸한 거리라 한두 대

자동차가 오갈 뿐 주위는 조용했다. 빗물에 엉기는 바퀴 소리가 낭창한 채찍의 소리처럼 미세한 파열음을 연출했다. 양꼬치구이집에서 나온 그녀가 중년의 사내에 안겨 밖으로 나오는 모습이 보였다. 그녀는 거의 몸을 움직이지 못할 정도로 취한 모습이었다. 내가 밖으로 나온 사이 급하게 몇 잔의 술을 더 마셨는지 모른다. 중년의 사내는 그녀를 안다시피 해서는 원룸촌으로 향했다. 비밀번호를 누르고 안으로 들어가는 모습이 멀리서도 보였다. 얼마 후 3층의 원룸 창문에 불빛이 비쳤다. 유독 불그스름한 빛이 다른 원룸에서 새어 나오는 불빛을 압도했다. 빗물에 어른거리는 붉은 불빛이 이국적인 분위기를 자아내, 나는 낯선 이국의 어느 곳에 부려져 있다는 착각마저 들었다. 얼마 후 불이 꺼지고 그녀의 원룸은 정적 속으로 빠져들었다. 그리고 한동안 시간이 지났을 때도 중년의 사내는 밖으로 나오지 않았다. 나는 불꽃이 무리지어 피어오르듯 상상이 피어오르는 것을 애써 억눌렀다.

누구일까? 밤에 보는 사람들의 인상과 표정은 불빛에 굴절되기 마련이어서 누구라고 속단하기 어려웠지만 분명 몇 번은 스친 적이 있는 사람인 것만은 사실이었다. 아니다. 혹여 내가 모르는 사람일 수도 있었다. 조선족 동포인 그녀와 내가 아는 사람이 서로 겹칠 일은 많지 않았다. 학교 사람이라면 모르지만, 대부분 전공이 달라 오가며 한두 번 얼굴을 본 게 일반적이었다.

그렇게 얼마의 시간이 흘렀다. 학기 말이 다가오자 다소 초조해졌다. 해 놓은 일도 없이 금세 방학이 돌아오나 싶었다. 여름방학이 시작되기 전까지 대략 논문의 틀을 잡고 일정 부분 내용을 채워 넣어야 이후 과정이 술술 풀릴 수 있었다. 그러나 논문 쓰기는 생각만큼 작업이 진행되지 않았다. 어떤 문제에 대한 주제를 정하고 그 주제에 부합하는 사례와 전제들을 찾아 일정한 원칙에 맞춰 글을 전개한다는 게 말처럼 쉽지 않았다.

양꼬치구이집에서 정연화를 본 이후로 나는 가급적 그날 밤의 일은 생각하지 않았다. 문득문득 그녀가 말했던 급한 사정이라는 게 무슨 의미였는지, 그날 밤 원룸에 함께 들어갔던 남자가 누구였는지 호기심이 일기도 했다. 그때마다 붉은색의 글자와 황금의 문양이 눈앞에 드리워졌다 사라지는 느낌이었다. 그날 저녁 그녀를 만난 이후 한동안 나는 비릿한 빗물에서 번져 오던 향신료 특유의 냄새로 머리가 아팠다. 정연화의 입에서 아니 목구멍 깊은 곳에서 흘러나오던 그것과 유사했다.

아니 돌이켜 보니 논문 예비발표를 마친 저녁 뒤풀이 자리에서 맡았던 냄새 같기도 했다. 정연화의 옆자리에 앉아 있던 나만이 느끼던 냄새는 아니었을 것이다. 비가 내리던 그날 밤, 양꼬치구이 식당 앞으로 정연화를 찾아왔던 남자는 누구였을까? 혹여 정연화가 내게서 빌리려는 돈과 그 남자와 어떤 연관이 있는 것은 아닐까? 나는 내처 고개를 흔들었다. 논문 작업으로 내 코가 석자인데 다른 사람 신경 쓸 여유가 없었다. 이런저런 일에 정신을 쏟다 보면 정작 해야 할 일을 하지 못할 수도 있었다. 논문을 마치지 못하면 한 학기 아니 1년 더 허송세월을 보내야 했다.

그렇게 시간이 지나갔다. 신경을 끄면 또 무심히 흘러가는 게 시간이 지닌 속성이었다. 시간은 늘 그렇게 흘러가는 시냇물처럼 흔적없이 사라졌다. 그러나 시간의 자장은 언제나처럼 흔적을 남기기 일쑤였다. 한동안 잊고 있던 정연화를 다시 만난 건 그로부터 얼마 지나지 않아서였다. 주말에 집에 내려오기로 돼 있던 아내가 갑작스럽게 음식을 잘못 먹는 바람에 배탈이 났다며 하루 이틀 푹 쉬었으면 한다는 연락을 받은 직후였다. 소화력이 약한 아내는 대학원 공부를 하면서도 몇 번인가 급체를 해 응급실에 실려 간 적이 있었다. 임용이 되고 혼자 떨어져서 생활을 하다 보니 아무래도 먹는 것에 덜 신경을 쓰기 때문인 듯했다.

꼭 한 번만 만나 줬으면 한다는 정연화의 문자를 막상 받고 보니 괜스레 신경이 쓰였다. 손톱 밑에 박힌 가시처럼 외면을 하려 해도 자꾸만 시선이 그쪽으로 가는 것과 같은 이치였다. 사실 언젠가는 다시 연락이 올 수도 있겠다 지레짐작을 하기도 했었다. 나는 도리질을 했다. 다시 만날 이유도, 그럴 마음도 없었다. 그러나 음성 사서함에 녹음된 목소리를 듣고는 그래 한 번만 시간을 내야겠다는 생각이 들었다. '마지막으로 최 선생님께 드릴 말씀이 있어요. 잠시 시간을 내주세요. 만약 나오지 않는다면 저는 더 이상 버틸 힘이 없어요.' 그녀의 문자를 보다 말고 나는 울긋불긋한 술집의 모습이 어른거려 잠시 어지럼증을 느꼈다. 도대체 무슨 일일까? 그날, 비를 맞으며 낯선 남자의 품에 안겨 원룸으로 끌려가듯 올라가던 그녀의 모습이 또렷하게 떠올랐다.

내가 왜 그녀와 엮여야 하는지 이해가 되지 않았다. 전에 알고 있던, 학문 연구에 남다른 열정이 있던 유학생의 이미지는 오간 데 없이 뭔가 베일에 싸인 모습만 남아 있었다. 문자로 봐서는 뭔가 피치 못할 사정이 있는 듯했다. 부탁을 거절하면 뭔지 모를 불상사가 일어날 것만 같은 불길한 예감이 들었다. 한편으로 그날 밤 택시 창문 너머로 보았던, 정연화를 꼭 껴안아 주던 남자의 정체가 누구일까라는 궁금증도 일었다.

만나기로 한 약속 장소로 갔지만 그녀는 없었다. 조금 일찍 도착한 탓도 있었다. 시내에서 조금 떨어진 교외 부근에 자리한 이곳은 대체로 데이트족들이 찾는 커피숍이었다. 나는 주차장에 차를 세워 두고 잠시 안에서 기다리기로 했다. 선팅이 돼 있어서 다행히 밖에서 이쪽은 보이지 않았다. 가끔 들고나는 차들에서 한가롭게 주말을 즐기려는 낯선 남녀들의 밝은 표정들이 비쳤다. 아내와 함께 이런 커피숍에 들른 적이 얼마나 됐을까. 새삼스레 나는 아내와의 추억을 더듬었다. 아내는 오로지 학위를 따기 위해 존재하는 것처럼 거의 모든 시간을 공부에 진력했다. 연애 기간 어쩌다 머리를 식히려고 교외의 분위기 좋은 찻집에라도 들리기라도 하면, 얼마 안 있어 공부를 해야 한다며 자리에서 일어서곤 했다. 그렇게 독하게 공부를 한 결과 석박사 학위를 계획했던 것보다 2년 정도

앞당겨 받을 수 있었다.

주차된 차에서 이런저런 생각을 하는데, 고급 승용차 한 대가 들어왔다. 그런데 웬걸 차에서 정연화가 내렸다. 운전석이 아닌 조수석이었다. 그녀가 내리자, 차는 반대쪽에 있는 출구 쪽으로 돌아 나갔다.

"정확히 30분 후에 와 주세요. 금방 끝날 거예요."

그녀가 운전석 쪽을 향해 나지막이 속삭이듯 말했다. 얼핏 차창으로 비친 이는 어디서 많이 본 듯한 얼굴이었다. 이제 보니 그녀의 지도교수였다. 분명했다. 살짝 열린 틈으로 보인 얼굴은 그녀의 지도교수가 분명했다. 무슨 일일까. 물론 지도교수와 학생이 함께 차를 탈 수도 있었다. 그렇게 색안경을 쓰고 볼 일도 아니라고 나는 스스로에게 일렀다.

화려한 차림을 하고 나타난 그녀는 조선족 유학생이라고는 도무지 믿기지 않았다. 며칠 전에 보았던 모습과는 전혀 딴판이었다. 한 가지 바뀌지 않는 게 있다면 입술에 덧칠한 붉은색의 루즈였다. 이전보다 더 색은 짙어졌고, 화장 탓인지 눈매도 더 깊어져 보였다.

"너무 고마워요. 최 선생님. 저는 선생님이 꼭 나오실 줄 알았답니다."

그녀는 물끄러미 나를 바라보며 미소를 지었다. 어떤 의미가 담긴 웃음이라기보다 그냥 상대를 배려하는 그런 류의 미소였다.

"전화로 해도 되는 얘기라면 굳이 밖에서 만나지 않아도 될 텐데요. 지난번에는 서로가 조금 실수를 한 것 같아서…"

"최 선생님, 생각보다 촌스러운 분이네요. 아직도 그런 걸 신경 쓰세요? 살다 보면 그런 건 아무것도 아닌데."

그녀는 손을 흔들며 미심쩍은 표정을 지었다. 나는 다시 한 번 내가 알고 있던 예전의 그 유학생 정연화가 맞는지 의심이 들었다.

"저를 보자고 한 이유가 뭔지요? 아니면 정 선생님 신상에 어떤 말 못할 일이라도 있는지?"

나는 돌리지 않고 물었다. 그녀 또한 거두절미하고 내게 좋은 제안을 하나 하고 싶다고 했다. 이제야 나를 보자고 한 원래의 의도를 말하려나 보았다.

"최 선생님 저랑 연애 안 하실래요? 제가 알기로 부인이 다른 지역 대학교수로 가 있다고 하던데. 주중에 아니 대부분의 시간을 혼자 있으려면 외롭고 힘들잖아요. 그냥 저랑 연애나 하면서 즐기며 살자구요. 돈은 좀 깎아 드릴게요. 얼마 전에는 삼천만 원 정도 얘기했는데, 이번에는 한 학기에 천만 원만 주시면 외로울 때 언제든 애인이 돼 드릴까 싶어요."

나는 귀를 의심했다. 도시 무슨 말을 하는지 이해할 수 없었다. 그녀는 장난스러운 말투도 그렇다고 진지한 말투도 아닌 담백한 어조로 얘기했다. 이편이 화를 낼 거라는 것도 예상을 했는지 "화를 내거나 어이없다거나 할 필요는 없어요."라고 바로 덧붙여 말했다.

"못 들은 걸로 하겠습니다. 지금 그걸 말이라고 하세요? 나는 그래도 정 선생님이 유능한 유학생으로 알고 있었는데 이건 아니지 않나요?"

나는 벌떡 자리에서 일어났다. 더 이상 상대를 해서는 안 될 사람이었다. 나는 조금만 더 얘기를 들어 보라는 그녀의 말을 애써 귓등으로 흘렸다.

"최 선생님 와이프도 한 달에 두어 번 집에 오지요. 내가 들은 소문으로는 와이프도 현지에 남자가 있다고 하던데…."

그녀는 집에 가서 생각해 보고 언제든 제안이 솔깃해지면 연락을 달라고 했다. 나는 빠르게 카페 문을 밀치고 바로 밖으로 나왔다. 유학생들 가운데 현지 사람을 애인으로 두고 생활비를 조달받는다는 소문을 듣긴 들었지만 차마 정 선생이 그런 사람인가 싶었다.

차 시동을 걸고 돌아 나오는데, 정연화가 속한 사문 모임의 선임 강사로 보이는 이가 주차장에 차를 세우는 모습이 보였다. 다른 일이 있어 이곳에 왔나 보았다. 혹여 그녀와 어떤 관계가 있는 것은 아닐까. 의문이 꼬리를 물었다. 나는 머리를 세차게 흔들고는 바로 시동을 걸었다.

아내는 기말고사 성적 처리와 다른 학사 업무 때문에 당분간 집에 올라올 수 없다고 했다. 성적 업무가 끝나면 학회 세미나 참석을 위해 며칠간 제주도로 출장을 갈 거라고 했다. 며칠만 더 기다리면 이번에는 함께 어느 해보다 즐거운 방학을 보내자고 했다. 그러면서 자신이 없는 동안 행여나 이상한 짓을 하는 건 아니냐며, 은근슬쩍 떠보는 말을 했다. 나 또한 아내와 똑같은 말을 해 주고 싶었지만 입을 다물고 말았다. 사실 나 또한 아내가 내려오지 않는 것이 더 편했다. 어쩌다 한 번, 그것도 연례행사처럼 치르는 생리적인 욕구를 해결하는 것 외에 딱히 우리가 부부라는 사실을 인식하는 경우는 없다시피 했다.

이따금씩 아내의 풍만한 가슴과 사과의 과육처럼 흰 살결이 그리웠지만 솔직히 아내를 사랑하지는 않았다. 어쩌면 아내 또한 나를 사랑하고 있는 것 같지도 않았다. 아내와의 섹스는 철저한 협상에 의해 이루어졌다. 이전에는 철저하게 가임 기간을 피해 부부 관계를 가졌다. 자연히 몇 년간 아이는 들어서지 않았다. 그리고 이제는 폐경기가 지나 아이를 가질 수도 없는 처지가 되고 말았다.

나는 아내가 폐경기가 됐다는 말을 들은 이후부터 곧잘 이상한 꿈을 꾸었다. 기이하고 해독이 불가능한 꿈이었다. 나는 꿈속에서 미라로 변한 내 모습을 보곤 했다. 새하얀 석회석을 뒤집어쓴 미라. 어두컴컴한 땅속에서 미라로 변한 나를 발굴한 사람은 공교롭게도 아내였다. 고고학 분야에서 촉망받는 젊은 학자로 주목을 받는 아내는 발견된 미라가 어느 부족 어느 인종에도 속하지 않는 새로운 계통의 인류라고 주장했다. 아내에 의해서 내 모든 것이 낱낱이 파헤쳐지는 꿈을 꾼 날이면, 나는 습관처럼 거울을 들여다보았다. 그곳에는 마치 꿈속에서 보았던 익숙한 미라가 서 있는 듯한 착각을 주었다.

사실 아내는 방학 기간이 학기 때보다 더 바빴다. 세미나와 학회 행사뿐 아니라 방학 때 유적지 발굴 작업도 이루어졌다. 아내는 당분간 집에 못 갈 것 같다며 새삼스레 미안하다는 말을 반복했다. 방학 때면 으레 더 짬이 나지 않는다는 것을 모르지 않았기에 나는 아내가 미안해하지 않았으면 싶었다. 꿈속에서나마 미라였던 나를, 수백 년 아니 수천 년 어둠 속에 갇혀 있던 나를 세상 밖으로 나오게 한 아내에게 도리어 고마워해야 할 처지였다. 나는 아내의 미안하다는 말이 몹시 낯설게 느껴졌다. 더러 아내는 한 달 내내 집에 오지 못하는 경우도 있었다. 그때마다 나는 무덤 같은 아파트 속에서 미라처럼 지내야 했다.

며칠 후, 나는 불현듯 아내가 어떻게 사는지 궁금해졌다. 따로 떨어져 살다 보니 궁금하긴 했지만 거의 아내의 오피스텔에 가보지 않았다는 생각이 그제야 들었다. 처음 이사할 때 가서 짐 정리를 해 준 것이 다였다.

그렇게 고속도로를 달려 아내가 근무하는 대학이 있는 소도시에 도착했다. 아내를 놀라게 해 주기 위해서는 아무런 연락 없이 가는 편이 나았다. 그러나 막상 아내의 오피스텔 건물에 도착하자 조금 망설여졌다. 사전에 전화를 하고 오지 않았다고 아내는 화를 낼 게 분명했다. 그러나 이번만큼은 아내를 깜짝 놀라게 이벤트를 해 주고 싶었다. 한 손에 아내가 좋아하는 고구마 케이크와 현금을 담은 봉투까지 챙겼다. 비상금으로 모아 뒀던 돈을 큰맘 먹고 준비했던 것이다.

이사할 때 와 봤던 화이티시티 오피스텔은 여전히 모던한 분위기가 감돌았다. 좋은 자재 때문이기도 하지만 이곳에 사는 사람들이 대체로 점잖고 교양 있는 사람들이라 공유 공간을 깨끗이 사용하기 때문인 듯했다. 나는 경비실에 들러 먼저 양해를 구했다. 그러나 경비실 아저씨는 그런 여자 분은 살지 않는다며 이름을 되물었다. 아니 아내는 오래전에 이곳에서 이사를 나갔다고 했다. 나이 지긋하고 인상이 좋아 보이는 남편이라는 사람이 가끔씩 찾아오더니 반 년 전에 다른 곳으로 이사를 나갔다는 것이다.

이게 무슨 개뚱딴지 같은 말인가 싶었다. 나는 뭔가 일이 잘못 돌아가고 있다는 것을 알 수 있었다. 요 며칠 나는 이상한 꿈에 가위를 눌리곤 했다. 내가 만나는 사람마다 모두 미라로 변해 버리는 꿈이었다. 교수와 연구원들 그리고 강사들 대학에 적을 두고 있는 많은 이들이 하나같이 미라로 바뀌어 있었다. 학교와 아파트는 모두 석회질로 이루어진 거대한 무덤으로 변해 있었고, 빛이 들지 않는 어두컴컴한 곳은 온갖 잡동사니로 가득 차 있었다. 밖에서는 발굴 전문가들이 유적을 발굴하기 위해 조심조심 무덤을 파헤치고 있었다. 나와 사람들은 밖을 향해 줄기차게 손을 내밀었지만 조금의 미동도 없었다. 내 자리에서 멀찍이 떨어진 곳에는 정연화의 얼굴도 그녀의 지도교수도, 선임강사도 그리고 아내의 얼굴도 보였다.

정연화는 구속을 면치 못했다. 얼마 전 역에서 아내를 배웅하면서 보았던 정연화 관련 뉴스로 세상은 연일 시끄러웠다. 조선족 유학생에게 속아 많게는 수천만 원에서 적게는 수백만 원까지 사기를 당한 이들의 이야기는 가십을 넘어 저마다 이색적인 드라마로 각색이 돼 가고 있었다. 정연화는 그들과는 모두 애인 관계였다며 자신은 결코 사기를 친 적이 없다고 주장하는 모양이었다.

나는 한동안 배회하다 집으로 돌아왔다. 진공 속으로 빨려 들어가는 것처럼 온몸이 축소되는 느낌이었다. 나는 당분간 아내를 찾지 않기로 했다. 갑자기 머리가 어지러웠다. 방 전체가 빙빙 도는 느낌이었다. 지독한 난시를 앓는 학생이 안경을 잃어버렸을 때 이와 같지 않을까 싶었다. 방 안엔 아무렇게나 벗어 던진 양말과 속옷들이 뱀의 허물처럼 널려 있었고, 개수구에는 설거지를 하지 않은 밥그릇이 켜켜이 쌓여 있었다. 해가 지고 나면 칠흑의 어둠이 내릴 거였다. 취할 정도로 술을 마시지 않고는 잠들 수 없을 것 같았다. 그렇게 세상은 거대한 무덤에 지나지 않았다.

하루

정확히 일 년 전, 그는 밤이면 베란다에 나와 하염없이 밤하늘을 바라보곤 했다. 습관도 오랫동안 지속되다 보니 하나의 중요한 일과가 되었다. 해가 지고 어스름이 내리기 시작하면 신도심으로 진입하는 도로에는 수백, 수천의 차량이 꼬리를 물고 이어졌다. 세상의 모든 차들이 이곳으로 몰려드는 것 같았다. 요즘 가장 핫하다는 플러스 행복지구 신도심. 헤드라이트를 밝힌 차들은 사나운 맹수처럼 또록또록한 불빛을 쏘아대며 어딘가로 사라지는데, 마치 이 세상 너머의 곳으로 가고 있는 것처럼 보였다. 그 불빛을 따라 가다 보면 전혀 다른 세상이 펼쳐져 있을 것 같았다.

늦은 저녁을 먹고 나면 감당할 수 없을 정도로 피로가 몰려왔다. 몸은 물에 젖어 버린 스펀지처럼 늘상 무거웠다. 일을 하지 않는 날이 더 피곤했다. 잠을 쫓아 버릴 요량으로 피워 문 담배는 어김없이 필터 끝까지 타들어 번번이 손가락을 데이곤 했다. 베란다 너머로는 하루를 마치고 퇴근하는 사람들의 행렬이 이어졌다. 실직을 한 뒤로는 퇴근하는 사람들의 모습이 새삼 다르게 다가왔다. 싱싱하게 파닥거리는 활어와 도마 위에 올려진 기절한 생선의 모습처럼 묘한 대비를 주었다.

시간은 더디게 흘러갔다. 그가 차고 있는 시계만이 거꾸로 역류하고 있는지 몰랐다. 삶이 버거울수록, 그리고 쓸쓸할수록 시간은 고인 물처럼 제자리를 빙빙 도는 모양이었다. 문득문득 끝이 보이지 않는 터널에 갇혀 버린 듯한 두려움이 밀려올 때도 싫었다. 어서 벗어났으면 싶은데, 무엇 하나 호락호락하지 않았다. 수십 차례 취직을 위해 원서를 제출했지만 입사를 허락한 곳은 없었다. 취업 빙하기라고들 하지만 일자리를 갖는 게 이렇게 어려울 줄은 몰랐다.

그가 사는 곳은 도심 외곽의 원룸이었다. 혼자 살기에는 그런대로 시설이 잘 갖춰진 곳이었다. 유배를 오듯 원룸으로 옮긴 그에게 일상은 터널처럼 지루하고 어두웠다. 수중에 있는 돈은 마른 낙엽이 늦가을 햇살에 말라

가듯 바싹 타들어 가고 말았다. 스르르 눈 녹듯 흔적도 없이 사라지는 돈은 그를 우울하게 만들었다.

파크빌은 언제나 낯선 이방인 같은 분위기가 감돌았다. 공원의 이름을 땄지만 숲의 느낌은 조금도 들지 않았다. 상업지구 안쪽에 자리한 원룸은 밤이면 주차 전쟁으로 몸살을 앓았다. 크고 작은 상가들이 밀집돼 있어 차를 세우기가 쉽지 않았다. 지어진 지 얼마 되지 않아 특유의 페인트 냄새와 자재 냄새가 부유하는 먼지처럼 떠다녔다. 그가 점심나절이 다 될 때까지 잠을 자는 것은 냄새 때문이었다. 동향인 탓에 아침이면 햇살이 창문을 통과해 머리맡에까지 밀려와 새벽녘에는 잠을 설치기 일쑤였다. 그러다 얼마간을 뒤척이다가 설핏 잠이 들었다 싶으면 언제인가 싶게 오전의 시간이 싹둑 잘려 나간 뒤였다.

그가 사는 곳은 파크빌 맨 꼭대기층인 4층이었다. 맨 마지막 룸의 번호는 405호였다. 이곳 사람들은 대부분 혼자 사는 이가 많았다. 가끔 외지인들이 방문했지만 많아야 일 년에 서너 차례였다. 그것도 하루 이틀 머물다 가는 터라 이곳 사람들은 거의 왕래가 없이 유배와도 같은 삶을 살았다. 원룸에는 현관마다 그리고 방범창을 두른 외벽마다 무거운 침묵이 흘렀다.

그는 오후 시간에는 습관처럼 원룸 맞은편에 있는 문방구에 들렀다. 무언가를 사기 위해 가는 것은 아니었다. 문방구 앞에 놓인 '터프가이'라는 게임을 하기 위해서였다. 주먹의 파워를 느낄 수 있는 게임이었다. 이 게임을 하는 동안은 가장 효과적으로 시간을 죽일 수 있었다. 뭔가를 자신의 힘으로 제압할 수 있다는 사실에 그는 작은 위안을 느꼈다. 샌드백을 두드리며 그는 시간을 죽이는 것만큼 힘든 일이 없다는 것을 실감하곤 했다. 터프가이는, 동전을 넣으면 함지박 크기만 한 둥그런 샌드백이 세워지고 그걸 있는 힘껏 때리는 게임이었다. 펀치 강도에 따라 점수가 급격히 올라갔다. 그는 무엇이건 두들기고 싶었다. 그렇지 않고서는 어떤 불안과 그리고 두려움으로 자신을 주체할 수 없었다. 젊은 사람이 빈둥빈둥 놀며 게임기나 붙잡고 있는 모습이 한심했던지, 가끔은 목발을 옆구리에 깊숙이 낀 주인이 한심하다는 눈으로 흘깃거리곤 했다.

파크빌에 거주하면서 한 가지 편한 점이 있다면, 이곳에는 자신과 비슷한 부류의 사람들이 많다는 사실이었다. 굳이 얘기하자면 이곳 사람들은 저마다 출퇴근 시간이 달랐다. 어떤 이들은 출근하지 않고 온종일 방에 틀어박혀 있는 이들도 적지 않았다. 입구에서나 복도에서나 마주칠 기회가 거의 없었다. 굳이 어느 쪽이 더 많은가 생각해 보면 아침 일찍 출근을 하는 쪽보다는 해가 진 후, 어딘가를 향해 가는 사람이 많았다. 어느 땐 콜택시 서너 대가 한꺼번에 골목 어귀에 대기하고 있기도 했다. 사람들은 하나같이 피곤에 지친 모습이었고 잠이 부족해 보였다. 물기가 채 마르지 않은 머리를 매만지며 종종걸음을 치는 젊은 여자들도 있었고, 작업복이나 단체복 비슷한 옷을 입고 출근하는 남자들도 있었다.

드물게 음료수를 사러 편의점에 가거나 옷을 맡기러 세탁소에 들를 때, 우연찮게 원룸 사람들과 마주칠 때가 있었다. 무심하면서도 냉정한 눈길에는 무료함이 깃들어 있었다. 그들의 눈길에서도 이편을 바라보는 무언의 느낌이 묻어났다. 당신이 어떤 부류의 사람인지 알겠다는, 별 볼 일 없는 실패한 인생이라고 규정을 하는 그런 눈빛을 읽을 수 있었다. 그들은 늘 적당한 모멸의 감정을 느낄 수 있을 만큼의, 꼭 그 정도의 표정을 짓곤 했는데, 그는 그것이 그다지 싫지는 않았다.

종종 옆 403호 여자와 계단 입구에서 마주칠 때가 있는데 그녀 역시 그에 대한 표정이 예외는 아니었다. 굽 높은 하이힐을 신고 어깨 너머로 긴 머리를 늘어뜨린 그녀는 사람들과 일정하게 거리를 두려는 표정을 하고는 아슬아슬하게 계단을 내려갔다. 403호 여자는 해가 지고 노을이 내리는 시간이면 어딘가로 출근을 하고는 새벽이면 돌아왔다. 검은색의 스커트와 검은색의 스웨터 그리고 검은색의 선글라스, 불그스름한 볼을 따라 흘러내린 갈색의 머리카락, 알로에처럼 푸른 빛깔의 립스틱. 그녀에게선 보통의 여자들과는 다른 느낌이 묻어났지만 그것이 꼭 그녀를 규정짓는 것은 아니라는 생각이 들었다. 이사를 온 후 어느 저녁엔가 처음 그녀를 복도에서 부딪쳤을 때, 그녀의 옆구리에는 밤색 줄무늬를 한 새끼 고양이가 들려 있었다. 그녀는 아무런 미동도 없이 창밖 너머를 바라보고만 있었다. 때마침 어둠 저편으로 비가 내리고 있었고, 어디선가 구름을 찢는 듯한 소리가 들려왔다. 검은 구름 사이로 비행기인지 제트기인지 모를 물체가 밤하늘을 가로질러 어디론가 날아가고 있었다. 아니 그것이 비행기인지 제트기인지 아니면 UFO인지 알 수 없었다.

그가 먼저 아는 체를 했지만 돌아오는 건 새끼 고양이의 "이야옹"이라는 울음뿐이었다. 쩍 벌린 고양이 입이 마치 숯불의 불씨 같아 징그러운 느낌이 들었다. 다시 보니 그녀가 껴안고 있는 것은 고양이가 아니라 작은 인형 같기도 했다. 불룩한 가슴 언저리에 코를 묻고 있는 작은 인형. 행복한 인형. 그 이후로도 몇 번인가 그는 계단 입구에서 403호 여자와 마주쳤다. 그러나 여자는 여전히 아무런 인사도 건네지 않았다. 어느 땐 어두운 창밖을 내다보며 무언가 골똘히 생각하고 있는 여자의 모습을 볼 때도 있다.

파크빌에 이사를 온 후 그가 하는 일은 밤에 도심을 배회하는 것이었다. 그것은 규칙적인 하나의 일과였다. 불 켜진 고층 빌딩 사이로 들이치는 불빛은 곧잘 그를 밖으로 이끌었다. 하루 종일 벌레처럼 방바닥에 눌어붙어 뒹굴고 보면 언제인가 싶게 저녁이 다가와 있었다. 길고 긴 늪의 시간이었다. 고여 있는 늪지대였다. 절망의 웅덩이에 갇힌 채 말랑말랑한 비스킷처럼 굳어 가는 순간이었다. 그 시간의 압력 아래 그도 엎드려 있었다.

울긋불긋한 도심의 불빛 사이를 지날 때마다 아주 작은 훌라후프가 발목을 휘감는 느낌이 든다. 발목을 채우고 있는 권태와 쓸쓸함은 예전의 노예들 발목에 감긴 쇠고랑만큼이나 무거웠다. 신도심답게 밤거리는 휘황한 불빛과 오색의 간판들로 반짝거렸다. 네거리를 따라 늘어선 모텔과 노래방, 안마 시술소는 잠 못 이루는 이들을 향해 은밀한 손짓을 하고 있었다.

유흥가를 지나 상가 밀집 지역으로 들어서면 정반대의 풍경이 펼쳐진다. 규모가 작은 식자재 마트와 크고 작은 상가들이 보인다. 반대편으로는 플러스 행복지구의 상징이라고 하는 복합 쇼핑몰이 자리했다. 옷 매장이 대부분인 이 쇼핑센터가 유명해진 것은 1층 입구에 실제의 사람들이 마네킹처럼 포즈를 취하고 있기 때문이다. 마네킹을 디스플레이 하듯 사람을 콘셉트에 맞게 진열해 놓았다. 유리 안의 전시실에 갇힌 인형이라고나 할까. 물론 1층을 제외한 나머지 층의 브랜드 매장에는 여러 종류의 마네킹들이 상가에 진열돼 있다.

마네킹은 하나같이 누군가를 기다리듯 먼 곳을 응시하며 서 있다. 밝은 조명 아래서 보이는 마네킹의 표정은 각양각색이다. 조명에 따라 변하는 것이 사람의 표정보다 더 정교하다. 붉은 입술과 껑충하니 큰 키는 하나같이 이국적인 느낌을 발산한다. 계절이 계절인지라 마네킹은 하나같이 가슴이 훤히 내다보이는 아주 얇은 옷을 걸치고 있다. 그중에서 유독 눈길을 끄는 마네킹이 있다. 금방이라도 그에게 다가와 말을 걸 것 같은 표정이다. 깊은 눈빛에 무심해 보이는 묘한 분위기가 그의 마음을 흔든다.

당신은 왜 밤늦게까지 거리를 방황하고 있나요. 내가 말벗이라도 돼 드릴까요. 아무렇지 않다구요? 그러나 너무 오래 방황하지 마세요. 시간은 금방 지나가거든요.

흡사 마네킹이 속삭이는 것 같다. 그 마네킹은 며칠이 지나도 그 자리에 그렇게 서 있었다. 그는 그 껑충하니 늘씬한 마네킹에서, 군대 시절 알았던 한 여학생의 모습을 떠올렸다. 같은 내무반 김 일병이 소개해 준 여학생은 지방 모 대학 철학과에 재학 중이었다. 신흥종교 신자라는 그녀는 그와 사귀기 위해 편지를 쓴 것은 아니었다. 자신이 다니는 종교 단체에 입교를 시키기 위해 포교의 수단으로 메일을 주고받은 거였다. 그러나 그는 자꾸만 종교 행사에 가자고 하는 그녀가 부담스러웠다. 그녀가 하는 이야기는 모두 자신이 믿는다는 교주에 관한 이야기였다. 모르긴 몰라도 그 교주에 대한 맹신은 모든 것을 다 바쳐도 아깝지 않을 만큼 강렬해 보였다. 그는 더 이상 그녀를 만날 수 없었다. 군대를 제대하고 복학할 무렵, 그녀가 그 교주를 위해 헌신하는 수행원이 되었다는 말을, 김 일병으로부터 들었다. 말이 수행원이지 몸종이나 다름없다는 소문이 돌았다. 그녀의 영향을 받은 몇몇 여학생들도 사이비 종교에 빠져 행방이 묘연하다는 소식이 들려왔다.

그는 쇼핑센터 맨 꼭대기 층까지 구석구석을 둘러본 이후에야 에스컬레이터를 타고 1층으로 내려온다. 그때까지도 1층 유리 벽 안에서는 실제 모델들이 포즈를 취하고 있다. 서서히 피로와 잠이 몰려온다. 쇼핑센터를 한 바퀴 둘러보고 내려와 담배를 한 대 피우고 나면 몸이 노곤해진다. 잠은 정말이지 마취와 같다. 의식을 비집고 몽롱하게 밀려오는 미세한 떨림. 그는 다시금 매장의 유리 벽 속에 진열되어 있는 실제 모델들에게 눈길을 돌린다. 두 명의 여자와 두 명의 남자가 취하고 있던 동작을 풀어 버린다. 아무래도 오랫동안 고정된 자세를 취하고 있으면 근육에 무리가 갈 텐데. 그는 괜스레 그들이 걱정된다. 하품이 나오려는 걸 어금니를 깨물자 눈물이 배어 나온다. 손으로 눈가를 지우려다 말고 그는 잠시 눈을 의심한다. 여자 모델 가운데 한 명은 분명히 403호 여자였다. 조금 전 매장에 들어왔을 때는 없었는데 매장을 둘러보고 온 사이에 교대를 한 것 같았다.

반가웠다. 원룸의 복도에서 마주쳤을 땐 어색했는데

이곳에서 만나게 되자 절친한 사람을 만난 것처럼 반가웠다. "아니 여긴 웬일이세요?" 반가운 나머지 자신도 모르게 그녀에게 손짓을 하며 말을 건네고 말았다. 정말이지 얼떨결에 아는 체를 하고 말았다. 그러나 그 말은 입속에서만 맴돌았을 뿐이었다. 여자는 여전히 무심한 표정이다. 아니 여자는 한곳만을 응시하며 아무 말을 하지 않았다. 이곳 모델들은 절대 움직일 수 없을까? 사람들의 눈을 피해 몰래 움직일 수도 있을 거였다. "이곳이 직장이거든요." 여자는 말은 않지만 그렇게 속삭이는 것 같았다. 그는 무안하다기보다 뭔가에 홀려 버린 기분이었다. 여자는 그가 이곳 신도심으로 이사를 온 이후, 거의 매일 밤 늦은 시간에 이곳에 온다는 사실을 알고 있었을지 모른다. 그는 갑자기 누군가에 의해 오랫동안 감시를 받고 있다는 두려운 생각이 들었다. 그리고 부끄러웠다.

고용지원센터에 구직 등록을 하고 돌아온 날, 아파트는 텅 비어 있었다. 을씨년스럽다는 말이 실감이 났다. 몇 권의 책과 대학 졸업 무렵에 샀던 노트북이 덩그러니 놓여 있을 뿐이었다. 베란다 한편에 뭔가 놓여 있었는데 그것은 결혼 당시 아내와 야외에서 찍은 대형 브로마이드 사진과 앨범이었다. 그리고 화장실 구석에 꿈돌이 인형이 처박혀 있었다. 아내는 무슨 이유 때문인지 혼수를 빼갈 때 브로마이드와 앨범은 가져가지 않았다. 그리고는 "결혼 때 자신이 해 온 것만 가져가겠다."며 문자를 보내왔다. 그는 아내가 왜 그 짐들을 가져가지 않았는지 묻지 않았다. 증오를 갖게 하는 것, 그것은 그녀가 그에게 할 수 있는 가장 처절한 복수였을지 모른다. 그는 가위로 브로마이드와 앨범을 오렸다.

날씨가 점점 후덥지근해졌다. 도로는 불에 달군 철판처럼 뜨거웠다. 그는 여전히 잠을 이루지 못했다. 밤이면 또 거리를 배회하지 않고는 잠들 수 없었다. 뉴스에선 연일 최악의 불볕더위 소식이 전해졌다. 지구가 단단히 더위를 먹은 게 분명해 보였다. 그렇지 않고서야 보름 가까이 열대야가 지속될 수 없었다. 몸이 축축 늘어지는 것보다 마음이 더 지쳐 갔다.

"어찌됐든 그래도 밥은 꼭꼭 챙겨 먹어야 한다. 살다 보면 별의별 일이 다 있으니까 맘 굳게 먹고 지내라. 알았지?"

아버지는 가끔씩 그에게 전화를 걸어 신신당부를 했다. 아버지의 당부는 유치하기까지 했다. 밥 챙겨 먹으라는 말 외에는 이렇다 할 말을 하지 않았다. 어린 나이에 부모를 잃은 아버지의 의식 속에는 언제나 배고픔과 외로움에 대한 두려움이 있었다. 그 배고픔을 잊기 위해 아버지는 닥치는 대로 일을 했다. "인제 나이가 들었다고 통 안 쓸려고 그런다."라며 아버지는 새벽 인력시장도 예전만 못하다고 했다. 점차 젊은 사람들에게 일자리를 빼앗기면서 아버지는 점점 뒷방으로 물러나는 가혹한 연습을 하고 있었다.

아버지의 전화를 받고 나서 그는 밖으로 나왔다. 늦은 시간이었지만 아직 문방구는 열려 있었다. 그는 문방구 앞에 있는 터프가이 게임기 앞에서 펀치를 날리고 싶었다. 문방구 안에는 주인 남자가 목발을 짚은 채 뭔가를 복사하고 있었다. 그런데 복사기의 토너가 부족했는지 경고음이 들렸다. 그는 복사를 하다 말고 중단을 했다. 그리고는 "때마침 잘 만났다."며 그에게 잠시 가게를 봐줄 수 있느냐고 물었다. 잠시 건너 네거리에 있는 복사기 부품 전문점에서 토너를 사가지고 오겠다는 거였다. 그는 대수롭지 않게 "그러겠노라."고 말을 했다. 잠시 가게를 봐주는 대신 둥그런 샌드백이나 마음껏 두들길 심사였다. 어떻게 그의 마음을 알았던지 남자는 동전을 가득 쥐여 주었다. 남자가 나가고 나자, 그는 동전을 투입구에 넣었다. 허공을 통과해 바닥으로 떨어지는 동전의 소리가 아득하게 들려왔다. 그리고 이내 샌드백이 존재를 알려 오듯 눈앞에 반듯하게 섰다. 그는 있는 힘껏 샌드백을 향해 주먹을 날렸다. 가벼운 출렁거림과 함께 샌드백이 반사적으로 튕겨 돌아왔다. 다시 샌드백을 향해 주먹을 휘둘렀다. 둔탁하면서도 손에 짝 달라붙는 소리가 어두운 거리로 퍼져 나갔다.

남자는 얼핏 보니 웬 앨범 속의 사진을 복사하고 있었던 것 같다. 복사기 안에 놓인 것은 풍경의 사진이라기보다도 사람의 사진이었다. 젊은 여자의 사진이었다. 누구인지는 모르지만 사진 속의 여자는 비슷한 모습으로 복사돼 어딘가로 흩어질 거였다. 아마도 주인 남자의 아내가 아닌가 싶었다.

주인 남자가 돌아와 고맙다며 아이스크림을 하나 건넸다. 그는 입안 가득 아이스크림을 물고 밤거리를 걸었다. 얼마쯤 지났을까. 푹푹 찌는 더위 탓에 피곤이 몰려왔다. 휘황한 밤거리를 헤매는 그의 모습이 흡사 굶주림과 외로움에 지친 야수로 보였다. 밤거리는 시든 채소 같기도 했고, 이제 피어난 봄꽃 같기도 했다. 서로 다른 얼굴이 드리워진 곳이 도시였다.

그는 플러스 행복지구 인근을 돌며 밤 풍경을 스치듯 바라보았다. 더위를 피해기 위해 분주하게 쇼핑센터 건물 안으로 들어가는 사람들이 보였다. 더위 때문인지 사람들의 표정은 지쳐 보였다. 조금 전 내린 소낙비로 매장의 불빛이 조금 흐릿해 보였다. 너울거리는 불빛 너머로 1층 유리 벽 속의 마네킹들이 보였다. 실제 포즈를 취하고 있는 사람들은 시간제로 아르바이트를 하는 것 같았다. 그들이 보기에 이편이 움직이는 커다란 마네킹으로 보일지 몰랐다. 그는 종종걸음으로 걸었다. 다시 비가 쏟아지려는지 불어오는 바람에 눅눅한 습기가 배어 있었다. 이따금씩 택시가 경적을 울리며 어둠 저편으로 사라졌다. 간혹 우산을 쓴 남녀가 서로의 어깨를 밀착시키며 종종걸음으로 그의 옆을 지나쳤다. 그들은 무수한 불빛이 실루엣처럼 점멸하는 플러스 행복지구 도심을 향해 걸어갔다.

파크빌에 도착하자 언제인가 싶게 소낙비가 쏟아졌다. 굵은 빗줄기가 출입구 안으로 들이쳤다. 그는 서둘러 안으로 들어가 출입문을 닫았다. 후두둑 떨어지는 빗물이 포물선을 그리며 도심 아래로 흘러들었다. 마치 가을바람에 낙엽이 흩날리듯 빗방울은 춤을 추듯 떨어졌고, 수십 개의 동전이 바닥에 깔리는 듯했다. 그는 얼굴에 묻은 빗물을 손바닥으로 닦았다. 말라 버린 귤껍질 같은 우둘투둘한 손바닥이 이물스러웠다. 그는 계단을 올라가다 말고 가만히 깍지를 끼었다. 그리고는 무심결에 그동안 자신의 손을 잡았던 사람들의 얼굴을 떠올렸다.

군대에서 휴가를 나오면 이단 종교에 자신을 등록시키기 위해 어김없이 두 손을 꼭 붙잡고 기도를 하던 그녀. 마음씨 착하고 모범생이었지만 그러나 그녀는 종교 외에는 아무것도 생각하지 않았다. 그녀가 기도를 드릴 때면 그는 두 눈을 뜬 채 언제쯤 사랑 고백을 해야 하나 고민을 했었다. 그녀에게 그는 죄를 모르고 살아온 중죄인에 지나지 않았다. 거침없이 쏟아져 나오던 그녀의 기도 소리가 아련히 들려오는 것 같다.

지금도 그녀는 자신을 구원해 준다던 그 사이비 종교를 믿고 있을까. 아직도 교주의 말이라면 사소한 것까지도 신성시하고 있을까. 아니 그녀가 구원받고자 하는 세상은 과연 존재하기나 할까. 그는 갑자기 허허로운 생각이 들었다. 스스로도 어쩌지 못해 늘상 휘청거리는데, 밑도 끝도 없이 펼쳐진 늪과 같은 시간에 빠져 허우적거리고만 있는데, 과연 그녀는 몸을 비롯한 가진 모든 것을 바쳐, 정말로 자신이 원하는 세상을 마주하고 있을까. 그는 밖으로 쏟아지는 빗줄기를 하염없이 바라보았다.

복도 저편에서 뭔가 움직이는 것이 보인다. 열린 창문으로 빗줄기가 들이치는 것 같다. 빗줄기 사이로 어디선가 희미한 고양이 울음소리가 들렸다. 이곳은 사람보다도 동물들이 더 많이 사는 곳이다. 말이 원룸이지 사람들은 고양이나 강아지 같은 애완동물을 길렀다. 그는 사람들이 혼자 살기 때문에 외로워서 그러는 모양이라고 지레 짐작을 했다. 어떤 날은 복도에서 서너 마리 개와 고양이가 떼를 지어 돌아다니는 것을 본 적도 있다. 그러나 이해할 수 없는 건 심심찮게 쓰레기봉투에서 애완동물의 시체가 발견되었다. 한동안 정을 붙이고 살았던 존재인데 어떤 이들은 애완동물이 죽으면 쓰레기봉투에 담아 버리곤 했다. 그러고 보면 사람이나 짐승이나 매한가지의 운명을 타고나는 모양이었다. 필요가 없어지면, 한때의 젊음을 잃어버리면 버려지고 폐기 처분되었다.

복도 끝에서 뭔가 기척이 들린다. 작은 동물이 움직이는 소리 같기도 했다. 아니 술에 취한 누군가가 구토를 하거나 실례를 하는지 몰랐다. 예전에 살았던 아파트에서는 종종 술에 취한 젊은 사람들이 복도나 계단에 소변을 보는 경우가 적지 않았다. 청소하는 아주머니가 그 다음 날 물걸레로 일일이 닦아 내곤 했다. 감시 카메라가 잘 보이지 않는 부분에다가 꼭 그렇게 오줌을 쌌다. 언젠가는 복도 언저리에 누군가가 가위 모양의 그림을 그려 놓기도 했다.

복도 저편 불빛에 반사되어 무언가 움직이는 것이 보인다. 눈이 부셔 잘 보이지 않지만 사람은 분명 아니었다. 고양이었다. 밤색의 고양이가 뭔가를 상대로 바삐 움직이고 있었다. 녀석의 앞에는 커다란 거울이 놓여 있었다. 창문으로 도심 불빛이 그대로 거울 속으로 스며들고 있었다. 유독 파란 불빛이 또록또록하게 빛나고 있었다. 고양이의 수정처럼 맑고 푸른 눈빛이 그대로 되비쳤다. 이상하게도 그 빛은 쓸쓸하면서도 화려했다. 잉걸불처럼 따스한 느낌마저 없지 않았다. 녀석은 앞발을 들고 자꾸만 거울 속의 무언가를 낚아채려 발버둥을 쳤다. 그가 옆으로 다가가도 녀석은 아무런 경계심이 없이 발놀림을 계속했다. 그는 혹시라도 거울 뒤편에 죽은 쥐가 있지 않나 하는 생각이 들었다. 녀석들은 한번 쥐를 잡으면 지칠 때까지 갖고 노는 특성이 있기 때문이었다. “이야용” “이야용" 웬일인지 소름이 끼쳤다. 금방이라도 녀석이 발톱을 세워 이편을 덮쳐 버릴 것만 같았다. 그가 창밖으로 담배 끄트머리를 털어 재를 날렸지만 녀석은 아무런 반응을 보이지 않았다. 담뱃불처럼 날리는 녀석의 푸르스름한 눈빛. 거기에는 녀석을 복사한 또 다른 고양이가 그 속에 고스란히 들어 있다.

언젠가 그는 수십 마리의 고양이에 둘러싸여 도망치는 꿈을 꾼 적이 있었다. 복도는 어두웠고 달려도 달려도 끝이 보이지 않았다. 복도 곳곳엔 큰 유리 상자가 놓여 있었는데 그곳에서 고양이들이 한꺼번에 달려 나왔다. 유리 상자는 컨테이너 박스 크기만 했는데 사람이 갇히면 빠져나오지 못할 만큼 깊었다. 고양이들의 입에선 하나같이 붉은 꽃잎 같은 불꽃이 일렁였고 눈에선 시퍼런 빛이 번뜩였다. 그는 얼마 가지 못해 쓰러져 버리고 말았다. 고양이들은 떼로 몰려들어 그를 물어뜯었다.

잠결에 초인종 소리가 들려왔다. 잠시 잠이 들었던 모양이다. 꿈돌이 인형이 그의 얼굴을 덮고 있었다. 꿈속에서 저 인형이 고양이로 변신한 것은 아니었을까? 그는 고개를 흔들었다. 인형은 군데군데 보푸라기가 일어 있었다. 다시 초인종 소리가 들려왔다. 인터폰 화면에 누군가의 얼굴이 보였다. 푸른 잉크빛이었다. 403호 여자인 것 같았다. 푸르스름한 액정 화면 때문에 여자는 이국적인 느낌을 주었다. 형광빛의 얼굴이 외계인 같다는 생각이 들었다. "부탁이 있는데 좀 들어주실래요. 잠깐 어디가 볼 곳이 있어서 그러는데 고양이 밥 좀 주셨으면 해서요. 어려운 줄 알지만 부탁드립니다. 녀석은 생선을 좋아한답니다." 그녀는 복도 저편을 가리며 방범창 위에 걸린 플라스틱 그릇을 가리켰다. 그는 무슨 말인가 이해할 수 없었지만 그냥 고개를 끄덕이고 말았다. 이웃이라면 이웃인데 그 정도의 부탁쯤이야 들어줄 수 있겠다 싶었다.

폭폭 찌는 더위에 밥맛을 잃어버렸다. 밤과 낮을 바꿔 생활하는 시간이 길어질수록 그는 눈에 띄게 야위어 갔다. 거울 속의 그는 이미 오래전의 그가 아니었다. 퀭한 눈과 산발한 머리는 자신이 보기에도 낯설어 보였다. 잠은 오지 않았고, 머릿속은 함부로 헝클어진 실타래처럼 복잡했다.

그는 원룸 앞에 있는 가판대에서 진열된 생활정보지를 챙겼다. 자신을 필요로 하는 일자리가 없을까 정보지를 훑어보았다. 매일매일 유심히 정보를 보지만 자신을 필요로 하는 곳은 없었다. 거리를 오가면서도 광고 간판이 나 나무에 내걸린 플래카드를 보는 게 습관이 되었다. 사람을 구한다는 구직 광고가 없진 않았지만 대부분 술집이나 식당, 찜질방 같은 곳이었다.

갑자기 그는 403호 여자가 부탁했던 고양이 밥 생각이 났다. 그는 냉장고에서 오래전에 먹다 남은 생선을 꺼냈다. 그리고는 밖에 플라스틱을 꺼내와 그곳에 생선을 놓아두었다. 아니나 다를까 얼마 후 밤색의 고양이가 울음을 토해 내며 나타났다. 전에 보다 더 몇 마리 늘어나 보였다. 어떻게 냄새를 맡았는지 녀석들은 비린내가 나면 먹이가 있는 쪽으로 달려들었다. 녀석들은 붉은 혓바닥을 바삐 움직이며 생선 조각을 먹어 치웠다. 녀석들의 하루는 모두 먹이를 매개로 돌아가고 있었다.

그는 다시 거리로 나왔다. 여름 내내 하루의 시간은 조금도 어긋남 없이 비슷하게 지나가고 있었다. 그는 문방구에 들러 터프가이 게임을 하고 싶었다. 동전을 아주 미세한 틈에 넣을 때마다 왠지 설레는 기분이 들었다. 바늘구멍만 한 틈으로 동전을 밀어 넣자 특유의 음악 소리가 흘러나왔다. 구멍 속으로 흘러들어 간 돈은 적절한 소리를 내며 바닥에 떨어졌다. 아득한 찰나. 아내와 처음

섹스를 하던 때가 생각났다. 그때 그는 그녀의 몸속으로 자신이 흘러들어 가고 있다는 생각을 했었다. 그는 갑자기 섹스를 하고 싶은 욕구를 느꼈다. 돌아보니 섹스를 안 해 본 지가 너무 오래되었다. 몸의 욕구는 이제 모두 잠들어 버린 것 같았다. 그는 있는 힘껏 샌드백을 두들겼다. 숫자는 예상과 달리 더 이상 올라가지 않는다.

게임을 끝내고 다시 쇼핑센터 쪽으로 걸음을 옮긴다. 순환도로를 질주하는 차들의 불빛이 흩날리는 불씨처럼 따숩게 느껴졌다. 먹지를 두른 듯한 하늘은 습기를 가득 머금고 있어, 채 마르지 않은 속옷을 걸쳐 입은 것처럼 느껴졌다. 멍한 생각에 빠진 나머지 보도블록에 발부리에 걸려 넘어질 뻔했다. 중심을 잡기가 어려운 세상이다. 잠들지 못한 많은 사람들이 거리 이곳저곳에 앉아 억지로 잠을 부르고 있었다. 이 도시에서 잠들지 못하는 사람들은 차고 넘쳤다.

쇼핑센터에는 여느 날보다 많은 사람들이 모여 있었다. 길을 오가는 사람들은 유리 벽 속의 모델들에게 눈을 두고 있다. 시원한 수영복을 걸친 모델들은 조금의 움직임도 없이 멀고 먼 바다를 바라보고 있었다. 유리 전시실 안에는 완벽하게 바다의 풍경이 재현되어 있었다. 이따금씩 키질을 하는 듯한 파도 소리가 들리고 갈매기 울음 소리도 이어졌다. 모델들이 표현하는 콘셉트는 여름 한 철 바닷가에서 보낸 추억이었다. 수영복과 일반 피서 용품이 진열대에 늘어져 있었다.

403호 여자 외에도 몇 명의 모델들이 저마다 윤곽을 드러낸 수영복을 입고 대담한 포즈를 취했다. 젊은 사람이나 나이 든 어른이나 할 것 없이 힐끔힐끔 모델들을 쳐다보았다. 경쾌한 음악 소리가 모델들의 굴곡진 몸매를 타고 흘러내리는 것 같다. 주위를 싱그럽게 물들이는 음악은 매년 여름이면 듣게 되는 노래였다. 귀에 익숙한 멜로디 때문인지 사람들의 흥얼거리는 소리가 들린다. 그는 아주 잠깐 403호 여자와 눈길이 마주쳤다. 그녀는 허공 어딘가를 아니 파도 너머의 어느 지점을 응시하고 있었다. 그러나 403호 여자의 얼굴은 평소와 달리 그다지 밝지 않았다. 표정은 웃음을 머금고 있는데 눈가에선 뭔가 다른 감정이 묻어났다. 바닷가에서의 황홀한 추억과는 거리가 먼 눈빛이다. 얼핏 무심함이 느껴진다.

매장이 문을 닫는 시간을 기다려 그는 403호 여자에게 말을 걸었으면 싶다. 같은 원룸에 살지만 제대로 인사를 나눈 적은 없었다. 어쩌다 복도에서 마주치면, 가벼운 눈인사나 의례적인 한두 마디 말 외에는 나눈 적이 없었다. 여자는 어떤 사람일까. 그녀에 대한 일말의 관심은 이성을 향한 그런 호기심은 아니었다. 그는 그녀의 하루가 궁금했다. 빈속에 피운 담배 때문인지 머리가 어지러웠다. 유일하게 자신이 선택할 수 있는 즐거움이 있다면 담배 연기를 허공에 날리는 일이었다. 실타래처럼 엉긴 복잡한 생각들이 바로 눈앞에서 달아나 버리는 모습을 지켜볼 수 있었다. 특히나 잠이 오지 않을 때, 아니 잠을 이룰 수 없을 때는 더더욱 담배 생각이 간절했다. 잠들 수 없는 고통은 정말이지 피를 말리게 했다.

그는 서서히 왔던 길을 되짚어 원룸으로 돌아왔다. 그렇게 그는 시간이 날 때마다 플러스 행복지구를 걸었다. 웬일인지 오늘은 잠이 들 것 같지 않았다. 뒤척이는 것보다 차라리 잠을 자지 않고 다른 일로 시간을 죽이는 편이 나았다. 그는 새벽녘 생활정보지가 가판에 깔리는 시간까지 취업 사이트를 들락날락할 참이었다. 자기소개서를 업데이트하거나 지원서 빈칸에 쓸 적당한 말들을 고르는 것도 꽤 지난한 일이었다.

얼마쯤 흘렀을까. 403호 쪽 복도에서 발자국 소리가 들린다. 여자가 일이 끝나고 돌아오는 시간이다. 그녀의 퇴근 시간이 정확히 몇 시인지 알 수 없다. 매일 새벽에 들어오는 걸 보면 모델 외에도 다른 일을 하는 것 같기도 했다. 어느 땐 잠결에 복도를 지나는 걸음 소리가 꽤나 무겁게 느껴졌다. 비틀거리는 걸음이라는 것을 잠결에도 알 수 있었다. 유리 벽 속에서 나와 그녀가 매일 들르는 곳은 어디일까. 낭하를 울리는 그런 무거운 발자국 소리를 들을 때면 그는 마치 자신의 축 늘어진 모습처럼 느껴진다.

똑똑똑. 그의 원룸을 두드리는 소리였다. 야심한 시간에, 아직 어두운 시간에 무슨 일로 낯선 남자의 원룸을 두드리는 것일까. 그는 아주 짧은 시간 손가락으로 머리카락을 쓸어 넘겼다. 헐렁한 러닝셔츠 위에 살짝 반팔 티를 걸렸다. 도대체 뭐라고 말을 할까.

“오늘 우리 집 애들 잘 봐줘서 고마워요. 나중에 식사라도 대접하겠습니다.”

“…애라니요?”

“고양이 말하는 거예요.”

“아 그래요. 별일도 아닌데요.”

그녀는 취기가 잔뜩 올라 있었다. 술 냄새가 후욱 밀려와 코끝을 자극했다. 그는 뭔가를 더 물어보려다 입을 다물었다. 그녀가 이편의 말을 들을 새도 없이 복도 쪽으로 가 버렸다. 당돌한 것인지 무례한 것인지 알 수 없었다. 혹여 애시당초 이편의 접근이나 관심을 막아 버릴 심사인지도 몰랐다.

그녀의 원룸 문이 닫히는 소리가 유독 크게 들렸다. 걸음걸이로 보아 그녀는 채 씻지도 않고 쓰러져 잠이 들 것 같았다. 그는 얼마 전 술에 절어 살았던 자신의 모습이 연상되었다. 그는 고개를 저었다. 아무런 일도 할 수 없을 때, 아니 아무런 일이 주어지지 않을 때 할 수 있는 일이라곤 아무것도 없었다. 술을 마시고 고요히 잠을 자는 것, 거기에 유일한 낙이 있다면 있는 힘껏 담배 연기를 빨아 세상 속으로 뱉어 내는 것이었다.

어찌 되었든 마음 독하게 먹어야 한다. 밥이야 못 먹고 살겠냐? 너무 걱정 말고 무엇보다 건강이 중요하니까 몸 상하지 않게 조심하거라.

어머니의 목소리가 재생되듯 귓가를 울린다. 그가 전화를 하는 것이 아니라 어머니 쪽에서 전화를 걸어와 안부를 묻는 것이다. 늙으신 어머니를 생각하면 하루빨리 직장도 잡고 정상적인 생활을 해야 할 텐데, 하루하루가 기약이 없다.

하루 내내 뙤약볕에서 밭일을 하는 어머니는 까맣게 그을렸다. 그가 혹시라도 부담이 될까 봐 어떻게 지내는지 세세하게 묻지 않는다. 그는 이번 여름까지만 취업 준비를 할 참이다. 더 이상 원하는 일을 찾지 못하면 가을부터는 일일근로자대기소에라도 나갈 참이다. 서른이 넘으면 점점 자신의 의지와는 무관하게 세상의 힘에 이리저리 끌려다니는 것 같다. 학창 시절과 이십 대 때는 누구 못지않게 치열하게 살아왔는데, 그러나 돌아보니 손에서 모래알이 빠져나가는 것처럼 아무것도 남은 게 없다.

그는 다시 어두운 거리로 나온다. 찌는 날씨도 날씨지만 답답해 안에 있을 수 없다. 정교한 박스처럼 원룸은 사람을 옥죄는 것 같다. 복도 끝에 뭔가 놓여 있다. 403호는 불이 꺼져 있다. 이상하다. 웬 상자지? 그는 호기심에 상자 박스를 열어 보려다 만다. 그런데 상자 위에 뭔가 메모가 적혀 있다. "다시 한 번 어려운 부탁을 드립니다. 갑자기 일이 생겨 이곳을 떠나게 되었답니다. 처리 좀 해 주세요. 사례는 나중에 꼭 하겠습니다. 그럼."

그는 조심히 상자를 연다. 그는 자신도 모르게 비명을 지르고 만다. 안에는 밤색 고양이의 사체가 들어 있는 게 아닌가. 뭔가 둔탁한 것으로 뒤통수를 얻어맞은 기분이었다. 죽은 것일까. 아니면 죽임을 당한 것일까. 그는 서둘러 박스를 닫는다. 도대체 여자의 정체는 누구일까. 그녀에 대해 아무것도 아는 게 없다. 단지 복합 쇼핑센터에서 실물 모델을 하고 있다는 사실 외에는.

유리창 밖으로 플러스 행복지구의 화려한 불빛이 보인다. 그는 허탈해지고 만다. 어쩌면 여자는 사람이 아니라 쇼핑센터에 디스플레이 된 하나의 마네킹이었는지 모른다. 물론 이곳에 우두커니 서 있는 그 또한 수십, 수백 개의 마네킹 가운데 하나에 지나지 않을 것 같다. 하루가 지나면 기하급수적으로 복사돼 세상에 쏟아져 나오는 그런 응고된 사물 말이다.

어떤 기별

낯선 번호였다. 제도권 밖의 금융사나 보험사 쪽에서 대출을 권유하는 전화인 듯했다. 받지 않으면 저절로 끊어지기 때문에 상현은 굳이 전화를 받지 않았다. 그러나 얼마 후 같은 번호로 전화가 다시 걸려 왔다. 상현은 이번에도 무시했다. 그래도 벨이 계속해서 울리자 종료 버튼을 눌렀다. 스팸 처리를 해도 새로운 번호로 걸려 오는 전화는 무신경으로 대응하는 게 제일이었다.

하루가 어떻게 흘러가는지 알 수 없을 정도로 시간이 빠르게 지나갔다. 아침에 눈을 뜨면 금방 오전이 되고 오후가 되고 이내 저녁이 되었다. 학원 일을 시작한 지 꽤 오래되었지만 이제 이 일도 이골이 났다. 점차 학생들 수가 줄어들고 경쟁 학원들이 생기는 바람에 더 이상 지속하기가 힘든 상황이 도래했다. 그러나 막상 이 일을 접고 다른 것을 하려니 도무지 손에 잡히는 것이 없었다.

군에 입대하기 전 학원 강사를 시작한 것이 어쩌다 보니 제대 후에도 직업처럼 굳어져 버렸다. 상현은 처음에 공사 시험 준비를 했다. 급여 수준이나 복지 등이 여러모로 다른 직종에 비해 좋은 편이어서 취업 준비생들에게는 인기가 많은 분야였다. 상현 또한 복학을 하고 학원 강사로 아르바이트를 하며 틈틈이 시험공부를 했다.

그러나 생각만큼 쉽지 않았다. 바늘구멍을 뚫기보다 힘들다는 취업의 문은, 아니 합격의 문은 열리지 않았다. 별수 없이 기존에 해 왔던 학원 강사를 하다 보니 직업처럼 돼 버린 것이다. 30대 중반을 넘어서자 취업할 수 있는 분야가 점점 줄어들었다. 거의 없다시피 했다. 특별한 경력이나 재능이 있는 것도 아니어서 다른 분야로 진입할 기회도 없었고 여력도 되지 않았다. 하루하루 코흘리개 애들이나 가르치면서 살자는 생각으로 버텨 왔다.

학원 문을 닫고 주차장에서 차를 빼내는 데 다시 전화가 왔다. 오전에 봤던 전화번호였다. 상현은 이번에는 통화 버튼을 눌렀다. 다른 중요한 전화일 수도 있었다.

"여보세요."

"선 병장님, 맞네요. 선 병장님 맞으시죠?"

휴대폰 저편에서 들려오는 목소리는 반가움이 깃들어 있었다. 누구일까. 상현은 고개를 갸웃거렸다. 주말 늦은 시간에 전화를 할 사람이 있을까 싶었다.

"누구시죠?"

상현은 바짝 귀에 휴대폰을 댔다. 낯설지만 한두 번은 들어봄 직한 목소리인 것도 같았다.

"접니다. 정 일병. 정우식 일병이요."

그제야 상현은 전화기 저편의 사람이 누구인지 짐작이 됐다. 15년 남짓한 시간이 빠르게 역류해 돌아갔다. 정우식. 가슴 한편이 싸하니 내려앉았다. 정우식은 선한 인상에 인간성 좋았던 부대 후임병이었다. 상현이 제대를 한 달여 앞두고 중대로 배정을 받았던 터라 함께 생활한 지는 한 달여밖에 되지 않았다. 마음 바탕이 곱고 성실한 친구라 기억에 남아 있다. 제대가 한 달밖에 남지 않아 오래 생활을 하지 못했지만, 상현은 중대 고참이었던 터라 그와 이런저런 이야기를 할 수 있었다. 우식이는 계급 사회인 군대에서 생활하기에는 너무 여린 구석이 많은 친구였다.

약속 장소에 나온 우식은 예전 얼굴 모습이 많이 지워져 있었다. 세파에 찌든 탓인지 얼굴 군데군데 크고 작은 상처와 음영이 드리워져 있었다. 2년 2개월 남짓한 군 생활을 하면서 끈끈한 인연을 만든다는 게 쉬운 일은 아니었다. 계급 사회 특성상 제대를 하고 나면 대부분 잊히는 게 일반적이었다. 그러나 어떤 이들 중에는 단 일주일, 아니 한 달 함께 생활하고도 오래 기억에 남는 선임병, 후임병들이 있었다. 정우식도 그런 친구였다.

그는 부모를 일찍 여읜 탓에 또래보다 빨리 사회생활을 시작했지만 천성적으로 마음이 약한 친구라 적지 않은 고생을 했다. 군에 입대해서도 우식은 선임병들로부터 보이지 않게 구타나 괴롭힘을 당하는 일이 적지 않았다. 그는 선 병장의 제대 이후의 상황이 궁금했다며 멋쩍게 웃었다. 언젠가는 사회에 나오면 "선 병장님을 만나고 싶었다."는 말에서 잊지 않고 기억해 준 그가 고맙게 생각되었다. 웬만큼 해서는 밥벌이하기 힘든 세상에서 어떻게 살아가고 있는지도 궁금했고, 떠올리기 쉽지 않은 군 생활이지만, 제대 이후의 부대 상황은 어떠했는지도 조금 궁금하던 차였다.

글라스에 소주를 따르더니 우식은 한입에 털어 넣었다. 소주잔으로는 감칠맛이 나 언젠가부터 글라스에 부어 술을 마신다는 그였다. 삶이 녹록지 않다는 것을 그는 그렇게 보여 주고 있었다. 상현은 그의 잔에 술을 따라 주었다. 거의 20여 년의 시간이 흐른 지금, 군대 후임병을 만난다는 것이 무슨 의미일까 싶었다. 그러나 상현은 여기까지 찾아온 우식을 생각해서 그의 이야기를 들어주리라 마음먹었다.

텐트 위로 싸락눈이 쏟아지고 있었다. 고르지 못한 지면 위로 솜털 같은 눈의 입자가 차곡차곡 쌓였다. 칠흑 같은 어둠이 그물처럼 드리워진 하늘에선 연신 눈발이 흩날렸다. 목덜미와 턱끝으로 한기가 몰려왔다. 그러자 면도날처럼 매서운 바람이 맨살을 감겨져 왔다. 가늠쇠 너머로 보이는 어슴푸레한 능선은 발정 난 암캐의 둔중한 엉덩이를 연상케 했다.

"우식아 그동안 잘 지내고 있니? 생각해 보니 그곳은 이제 한창 추운 겨울이겠다. 감기 조심하고 군복무 잘해야 돼-."

어젯밤 꿈속에서 우식은 오랜만에 영미를 보았다. 군에 입대한 이후로는 거의 꿈을 꾼 적이 없었다. 영미는 화사한 미소를 띤 얼굴로 다정스레 말을 건넸다.

무슨 일로 영미가 꿈속에 나타난 걸까. 우식이 입대하

고 얼마 후 안타깝게도 영미는 세상을 떠나고 말았다. 불현듯 영미가 가까운 곳에서 자신을 굽어보고 있는 듯한 착각이 들었다. 우식은 독초를 씹듯 담배 필터를 잘근잘근 씹었다. 느닷없이 조갯살 같은 조명탄이 회청색 하늘 위로 선연하게 피어올랐다. 다른 사단에서 온 병력들이 인근에서 야간 훈련을 하는 모양이었다.

컹컹— 집결지 앞에 매어 두었던 셰퍼드가 불빛에 심상치 않은 기운을 느꼈는지 허공을 향해 목청을 돋우었다. 땅바닥을 움켜쥔 발톱의 부르르 떠는 소리가 송곳의 그것처럼 날카롭게 귓속으로 파고들었다. 조명탄 불빛 사이로 을씨년스러운 사격장이 눈에 들어왔다. 그것은 길다랗게 누운 환형동물처럼 징그럽게 꿈틀거렸다. 연일 행사처럼 치뤄진 오공 사격으로 사격장을 두르고 있던 회색빛 치마가 훌러덩 벗겨지고 말았다. 그 때문인지 산은 예전과 다르게 차츰 신비스러움을 잃어 가고 있었다. 희멀건 능선 사이로 무수히 많은 돌멩이와 조각난 파편이 진한 금속 냄새를 뱉어 내며 찢겨진 판화처럼 흘러내리고 있었다.

중대장은 오늘 실시한 전차포 사격 결과가 썩 맘에 들지 않는다는 눈치였다. 아무래도 한바탕 구르기를 할 것 같은 분위기였다. 저녁 식사가 채 끝나기도 전에 중대원들을 집결시켜 놓고 대뜸 목소리를 높였다.

"귀하들이 선봉 일중대인가? 여기 있는 이 셰퍼드한테 방아쇠를 당겨라 해도 너희들보다는 낫겠다."

중대장은 실망했다는 표정으로 눈살을 찌푸렸다. 앞쪽에 쪼그리고 있던 셰퍼드가 마치 중대장의 말을 알아들었다는 듯 두 귀를 쫑긋 세웠다.

셰퍼드는 짬밥 수로 따진다면 우식이보다 훨씬 고참이었다. 녀석은 지금의 중대장이 1중대로 부임하면서 데리고 온 개였다. 2년 전인가 공제합동훈련을 나갔을 때 훈련장에서 방황을 하던 녀석을 차에 태웠다고 했다. 중대장은 첫눈에도 녀석이 영리한 개라는 것을 알아차렸다고 했다. 그날 이후로 중대장은 훈련을 나갈 때면 셰퍼드를 동행했다. 체력도 단련시키고 말벗도 할 겸, 이래저래 마음을 나눌 만큼 영리한 녀석이라고 생각하는 것 같았다.

얼추 보초 시간이 끝나 가고 있었다. 우식은 썰물처럼 피로가 몰려오는 것을 느꼈다. 여전히 싸락눈은 내리고 바람은 낯선 부호처럼 불어왔다. 눈을 뒤집어쓴 맨가지들이 부챗살처럼 파들거리며 눈꽃을 사방에 흩뿌렸다. 축축해진 군복의 촉감이 파충류의 혓바닥처럼 징그럽게 달라붙었다.

우식은 재차 최 병장을 흔들어 깨웠다. 선 병장이 제대를 한 이후 중대 최고 고참인 그는 대놓고 선임병 티를 냈다. 우식은 최 병장이 순순히 일어날 거라고 기대하지 않았다. 요즘 들어 최 병장은 거의 보초를 후임병한테 떠넘기다시피 했다. 말년이라고 몸을 사리는 눈치였지만 그것은 핑계일 뿐이었다. 그보다 밤이 되면 어디서 구해왔는지 소주를 혼자 마시곤 했다. 수통 속에는 늘 물 대신 술이 채워져 있기 마련이었다.

최 병장이 그나마 신경을 쓰는 것은 셰퍼드를 관리하는 일이었다. 중대장의 특별 지시가 있기도 했지만 그보다는 개를 무척 좋아하는 것 같았다. 특히 셰퍼드를 바라보는 그의 눈빛은 생생하게 빛이 났다. 녀석의, 특유의 강하고 본능적인 기질에 최 병장은 적잖은 매력을 느낀 듯했다. 들리는 말에 의하면 나중에 제대해서는 맹수류 같은 짐승을 사육하는 쪽으로 진로를 정했다는 것이다.

눈발이 차차 굵어지기 시작했다. 군복을 미끄러져 내리는 눈송이의 감촉은 외려 따뜻했다. 그러나 매번 서는 보초지만 눈보라가 치는 한밤중의 근무는 위압적인 긴장감을 느끼게 했다. 더구나 말년 병장이 뒷 근무자라면 거의 말뚝 보초를 서는 것이나 다름없었다. 유독 최 병장은 보초서기를 싫어했다. 병장을 달자마자 그는 말년 티를 내기 시작했다. 노골적으로 작업과 보초를 열외하더니 나중에는 불침번 근무마저도 요령껏 후임병한테 맡겼다.

우식은 무심코 시계를 들여다보았다. 파란 막대가 느릿느릿하게 움직이고 있었다. 마치 나뭇잎을 갉아먹듯 그것은 어둠과 침묵을 야금야금 파먹어 가고 있었다. 졸음이 밀려왔다. 하품을 하자 서늘한 눈송이가 혓바닥으로 미끄러져 들어왔다.

눈바람 사이로 어디선가 부시럭거리는 소리가 들려왔다. 우식은 반사적으로 집결지 아래쪽으로 눈길을 돌렸다. 무엇인가 작은 물체가 꿈틀거렸다. 그는 본능적으로 노리쇠를 뒤로 잡아당겼다. 한 발의 탄환이 약실 속으로 딸려 들어갔다. 금속이 튕겨 내는 날카로운 화음이 바람을 뚫고 땅속으로 스며들었다. 우식은 재빨리 검지 손가락을 방아쇠울 안으로 집어넣었다. 한참 동안 이쪽을 노려보던 저편의 물체가 무슨 이유에서인지 갑자기 움직이기 시작했다. 우식은 물체를 따라 몸을 낮췄다. 산속의 짐승인 듯했다. 눈 덮인 언덕을 짐승은 바람처럼 치달아내려가기 시작했다. 싸리나무에 맺힌 눈꽃이 짐승의 동작에 이끌려 떨어져 내렸다. 우식은 더 이상 총구를 겨냥하지 않았다.

무엇엔가 홀려 버린 기분이었다. 소염기 틈새로 눈송이가 뽀르르 녹아 흘러내렸다. 우식은 갑자기 방광이 무거워지는 느낌이 들었다. 바지를 내리고 힘껏 오줌 줄기를 밀어냈다. 오줌 줄기는 눈송이와 뒤섞여 어둠 속으로 흘러내렸다. 밤은 또다시 살아 움직이기 시작했다.

야전에서의 아침점호는 으레 깐깐한 법이었다. 간밤에 무슨 불상사라도 없었을까 하는 우려 때문이었다. 밤새 몰아쳤던 눈발은 언제인가 싶게 그쳐 있었다. 하늘은 온통 회색빛의 벌레들로 꿈틀거렸다. 최 병장은 부아가 난 얼굴이었다. 자신의 근무를 대신 서 준 것에 대한 고마움의 표시로 한두 마디쯤 할 법도 하였지만 그저 못마땅하다는 표정이었다. 우식은 최 병장과 함께 생활해 오면서 수시로 모멸감을 느껴야 했다. 특히 같은 조가 돼 야간 보초 근무를 서는 날은 더더욱 그랬다. 한마디로 우식은 응고돼 버린 마네킹에 지나지 않았다. 최 병장의 두툼한 손가락과 비릿한 입술은 끊임없이 강인한 인내를 요구했다. 지금껏 우식은 몇 번이나 방아쇠에 걸었던 손을 풀었는지 모른다. 가끔씩 이편을 쏘아보는 눈빛과 목 언저리에 불거진 파란 핏줄을 볼 때마다 우식은 몸서리를 쳤다.

오전 교육은 각 분대교육이었다. 저격수인 우식은 영점조정을 해야 했다. 탄약수와 나머지 병력들은 타켓을 고정하는 임무가 주어졌다. 주둔지에서 1킬로미터 떨어진 산 중턱에 타켓이 세워지면 일정표에 따라 사격이 있을 예정이었다. 소대원들은 직책에 따라 소속된 교육장으로 뿔뿔이 흩어졌다. 중대장은 이번 훈련 성과에 따라 포상휴가를 실시하겠다고 했다. 최 병장은 조수인 김 이병에게 이것저것 지시를 하고는 슬금슬금 뒤로 빠졌다. 보아하니 감적을 위해 출발하는 본부소대요원들을 따라나설 심사였다. 다찌차에 탑승한 본부요원들은 모두들 감적용 붉은 조끼를 걸치고 있었다.

조준경을 통해 바라보이는 산봉우리는 짙은 먹빛이었다. 흐릿한 구름이 장막처럼 산등성이를 포위하고 있었다. 우식은 가슴이 답답해져 옴을 느꼈다. 평소와 달리 십자선에는 선명하게 상이 맺히질 않았다.

우식의 뇌리에 자꾸만 영미의 모습이 비쳤다. 입대하기 전 영미와 함께했던 시간들은 우식에게 가장 행복한 순간이었다. 문득문득 숨통을 조여오는 현실의 올가미를 피할 수 있는 유일한 도피처이기도 했다.

우식이 영미를 만난 건 전자부품업체를 만드는 소규모 중소기업에서였다. 다소 몸이 작고 약해 보였지만 영미는 손끝이 야물어 일을 잘하는 편이었다. 직원이 그렇게 많지 않았던 탓에 서로를 손바닥 보듯 훤히 알았다. 나이도 비슷한데다 사회 초년생이었던 우식과 영미는 금세 가까워졌다. 우식은 성격이 밝고 마음이 따뜻한 영미에게 호감을 가졌다. 영미 또한 진중하고 마음이 따뜻한 우식이 싫지 않았다. 두 사람은 근무가 끝나면 자연스럽게 어울렸다. 어려운 집안 형편에 상급학교에 진학하지 못한 점도 두 사람이 지닌 공통점이었다. 마음을 주고받으면서 둘은 급속도로 가까워졌다. 함께 동거를 시작한 것은 각각의 원룸 월세를 조금이라도 아껴 보자는 생각 때문이었다. 방 두 개짜리 원룸 월세가 원룸 하나짜리 두 개를 합한 것보다 훨씬 적게 들었다. 둘 다 가진 게 없었기에 열심히 돈을 모아 미래를 설계하기로 했던 것이다.

원룸 건물은 부근의 다른 곳에 비해 깨끗하고 시설이 좋은 편이었다. 꼬박꼬박 한 달에 한 번 줄달음쳐 다가오는 월세만 없다면 살기 좋은 곳이 원룸이었다. 갈 곳 없고 가진 것 없는 청춘들의 마지막 보금자리였다. 우식과 영미 두 사람도 방 두 칸짜리 원룸 건물에서 그렇게 내일의 행복을 꿈꾸었다. 적어도 우식이 입영통지서를 받고 입대하기 전까지 두 사람의 행복은 장밋빛이었다.

어둠의 그림자가 몰려온 건 우식이 입대를 하고 일병이라는 계급에 진급했을 때였다. 원룸 밀집촌이라 인근에는 유흥가가 멀지 않았다. 다른 곳에 비해 임대료가 싼 것은 그러한 지리적인 요인과 무관치 않았다.

야근을 하고 퇴근하는 영미를 주시하는 눈길이 있었던 모양이다. 어느 날부턴가 낯선 사내가 원룸의 비밀번호를 어떻게 알았는지 들락날락거렸다. 영미는 그 사실을 조금도 눈치채지 못했다. 영미가 출근했다 퇴근하는 사이 낯선 사내는 원룸에 침입해 제 집처럼 사용을 했다. 적어도 두 사람이 마주치기 전까지는.

우식은 고개를 흔들었다. 옛 생각은 잊어버리자. 모든 것은 지난 일이다. 그렇게 마음을 먹었지만 의지와 달리 생각은 꼬리에 꼬리를 물었다. 빠른 물살처럼 전개되는 생각의 흐름을 끊어 버리기 위해선 시선을 다른 곳으로 돌리는 수밖에 없었다. 우식은 서둘러 포탑 안에 설치된 조준경에 눈을 댔다. 말간 타깃이 눈에 들어왔다. 비단 자락에 둥그런 해가 덫에 걸린 형상이었다. 몇몇 본부

요원들은 이동 타깃 도르래 장치를 점검하고 있었고 고참격으로 보이는 축들은 숨 가쁘게 담배를 빨아 대고 있었다. 어디서건 틈만 나면 볼따구니가 빵빵해지도록 담배를 피워 대는 것은 고참병의 특권이었다. 마치 그것이 지루한 시간을 가장 효과적으로 죽이는 소일거리라도 되는 것처럼 보였다.

최 병장은 방공호 안에 처박혀 꿈쩍을 하지 않았다. 옆에는 셰퍼드가 앉아 있었다. 평소 때 같으면 줄로 탄피를 다듬고 있었을 텐데 오늘은 왠지 방공호에 박혀 개나 쓰다듬고 있는 폼이 조금은 예사롭지 않았다. 며칠 전부터 목걸이를 하나 만든다며 손가락 굵기만 한 탄피를 잘라 사포질을 했었다.

일주일 전엔가 그는 제법 반지 모양을 한 탄피를 코앞에다 달랑 흔들어 보였다. 그때 우식은 부르르 몸을 떨고 말았다. 놀랍게도 뱀의 대가리가 눈앞에서 혓바닥을 날름거리며 몸뚱아리를 비비 꼬고 있는 것이 아닌가. 최 병장은 탄피에다 뱀의 대가리를 새겨 넣었던 것이다. 금방이라도 뱀이 파르르한 꼬리를 흔들며 채찍처럼 온몸을 칭칭 감아 올 것 같은 공포가 꾸물꾸물 기어올랐다.

얼마 전 추계진지공사를 나갔을 때의 일이었다. 최 병

장이 환장하도록 뱀을 좋아한다는 사실을 알게 된 건 바로 그날이었다. 최 병장은 뱀이 보이는 족족 가만두질 않았다. 그가 던진 돌들은 정확히 뱀 대가리에 꽂혔다. 그런 다음 전투화 뒷굽으로 대가리를 짓이겨 밟고는 팽그르 몸을 돌려 보기 좋게 숨통을 끊어 버렸다. 그러고는 마치 짐승의 멱을 따듯 칼로 대가리를 짝짝 찢어발겼다.

"요것만큼 우리 같은 놈들한테 좋은 게 어딨어? 이맘 때 다 이런 걸 먹어 둬야 나중에 마누라한테 사랑을 받는다구."

뱀의 껍질을 벗겨 내며 그는 그렇게 말했다. 푸르스름하고 빳빳한 껍질이 땅바닥에 떨어졌다. 그의 입가에 알 듯 모를 듯 미묘한 그림자가 어렸다.

꽤 시간이 흘렀지만 최 병장은 여전히 방공호 속에서 꿈쩍도 하지 않았다. 어쩌면 셰퍼드와 함께 시간을 보내는 것이 지루한 일과를 때우는 가장 손쉬운 방법인지 몰랐다. 우식은 조준경에 더 눈을 가까이 댔다. 아뿔싸. 이게 뭐지. 자세히 보니 최 병장의 손이 셰퍼드의 아랫부분에 가 있었다. 그의 손은 기계적으로 움직였다. 개의 가운데 것을 붙잡고는 한동안 집중했다. 그는 일정한 자극을 통해 셰퍼드의 본능을 단련시키고 있었다. 그제야 우식은 개가 최 병장을 보기만 해도 습관적으로 나뒹구는 이유를 알 것 같았다. 어쩔 땐 최 병장의 발자국 소리만 들어도 셰퍼드는 땅바닥에 등짝을 맞대고 어쩔 줄을 몰랐다.

오후 들어 영점조정을 위한 사격이 실시됐다. 탄착군은 핵점에서 멀찌감치 떨어진 윗부분에 형성되었다. 타켓이 세워진 산 중턱 부근에는 붉은 조끼를 걸친 감적수들이 탄착군을 확인하느라 뻔질나게 뛰어다녔다. 마치 혀를 빼어 문 땅개가 구멍 속으로 사라진 들쥐를 잡으려고 사방을 들쑤시고 다니는 것처럼 보였다.

중앙통제소에서는 중대장의 신경질적인 메가폰 소리가 들려왔다.

"1소대 오공 저격수 도대체 뭣하는 거야? 여기가 무슨 물총놀이 하는 곳인 줄 아나? 똑바로 사격하지 못해?"

중대장은 모든 것을 FM대로 했다. 전투의 승리는 정신이 좌우한다는 것이 그의 지론이었다. 군바리들은 적절한 통제와 얼차려 그리고 인간적 모멸감을 주입해야 교육 효과를 달성할 수 있다는 논리였다. 그러나 그 방법은 사뭇 비열했다.

갑자기 맑은 하늘에서 눈발이 흩날리기 시작했다. 겨

울 산의 매력이자 신비로움이었다. 순식간에 앞을 분간할 수 없을 만큼 시계가 불투명해졌다. 한겨울 산속에서는 다반사로 일어나는 일이었다. 오전에 영점을 잡고 오후에 측정하기로 했던 실거리 사격은 불가피하게 연기될 것 같았다. 아무래도 오후에는 텐트 속에 처박혀 낮잠을 자든지 허드렛일로 시간을 죽여야 할 것 같았다.

중대장은 물기가 닿지 않게 서둘러 남은 탄환을 박스에 담으라는 지시를 내렸다. 중대원들은 일일이 탄환과 탄피 개수를 확인하고는 열 개씩 묶음을 만들어 공구 박스에 나눠 담았다. 기재계를 맡고 있는 김 상병이 마지막으로 최종 확인을 하고 자물쇠를 채웠다. 우식은 김 상병을 도와 그것들을 함께 본부 텐트까지 옮겼다. 사람 좋고 예의 바른 김상병이 수고했다며 우식에게 건빵 한 봉지를 건넸다.

김 상병은 중대에서 우식을 후배처럼 아껴 주는 고참병이었다. 대학원을 다니다 입대했기에 그에겐 언제나 '가방끈'이라는 별명이 따라다녔다. 그러나 배운 티를 낸다거나 가볍게 처신을 하는 사람은 아니었다. 누군가를 깔보거나 함부로 대하지도 않았다. 겸손하고 유순한 사람이었다. 낚시광이기도 한 그에게선 여유가 묻어났다.

마음을 다스리는 데는 낚시만큼 좋은 게 없다며 제대 후에는 낚시를 한 번 다녀 보라고 권하곤 했다. 언제고 제대를 하고 기회가 되면 꼭 밤낚시를 함께 가자며 입버릇처럼 말했다.

최 병장의 눈초리가 예사롭지 않게 빛났다. 곤충의 예민한 촉수처럼 날카로웠다. 우식은 그의 눈을 똑바로 쳐다볼 수 없었다. 차라리 조금 전의 사격에 대해 일장 훈계를 하던지 자질구레한 잔소리를 늘어놓던지 그러는 편이 나았다. 침묵은 비축하면 비축할수록 언젠가는 터지기 십상이었다.

거푸 담배를 갈아대던 최 병장이 문득 내 발밑에 지폐를 던졌다.

"오후에 할 일도 없는데 뭣하겠냐. 정 일병 산 아래 마을에 가서 술이나 좀 사 와라. 알지? 간부들 몰래 눈치껏 사 와야 한다는 것."

"네 알겠습니다."

얼떨결에 대답을 했지만 우식은 막막했다. 산을 넘어야 하는데 한 번도 가 보지 않은 눈길을 헤쳐 간다는 게 영 내키지 않았다. 그러나 텐트 막사에 갇혀 있다시피 하는 것보다 심부름이라도 하는 편이 나을 듯했다. 괜스레 할 일 없이 시간을 죽이다가 성길 사나운 고참들 눈에 띄어 봐야 군기 빠졌다는 쓴소리나 들을 게 뻔했다.

싸리비로 쓸어 버린 듯한 차가운 하늘에선 줄창 눈발이 쏟아져 내렸다. 눈과 입으로 들어오는 눈송이들을 우식은 손바닥으로 쓸어내렸다. 모든 잎들을 벗어 버린 나무들은 하나같이 차갑고 두툼한 솜털을 껴입고 있었다. 바람이 불자 불티처럼 눈발이 허공에 날렸다. 발을 잘못 디뎠다가는 허방 속으로 넘어질 것만 같았다.

민가는 고작 대여섯 가구밖에 되지 않았다. 신도시에서 한참이나 떨어진 전형적인 소규모의 시골 마을이었다. 도로도 반듯하게 뚫리고 집들도 보수가 잘 돼 있어 사람 살기에는 그런대로 좋아 보였다. '또와슈퍼'라는 간판이 마을의 풍경과 동떨어진 느낌을 주었다. 몇 가구 안 되는 시골 마을의 슈퍼에 어울리는 이름은 아니었다. 그러나 이해가 될 것도 같았다. 한번 들른 이들은 또다시 와달라는 권유였다. 몇 가구 안 되는 시골의 슈퍼지만 있을 것은 다 있으니 필요한 게 있으면 지나는 길에 들르라는 의미였다.

"계십니까?"

우식이 안쪽을 향해 인기척을 했다. 얼마 후 나이 지

긋한 할머니가 나오셨다. 70대 초반쯤으로 보이는 아주머니였다. 수심이 있어 보이는 인상 탓에 얼굴의 마른버짐이 도드라져 보였다.

"날씨도 궂은데 훈련 나오셨소?"

"네. 눈이 와서 잠시 쉬고 있는 중입니다."

우식은 종이팩 소주 몇 개와 오징어포를 샀다. 우식은 잠시 뭔가를 생각하는가 싶더니 종이팩 소주를 하나 열었다. 그리고는 두어 번 입맛을 다셨다. 이 정도면 적당히 추위도 막아 주고 집결지에 도착할 쯤해서 술이 깰 것이었다. 다시 한 모금을 들이켜자 얼었던 몸이 확 풀리는 기분이었다.

"오늘도 우리 복순이는 안 들어올려나." 할머니가 안방으로 들어가려다 말고 말끝을 흐렸다. 외로움이 묻어나는 말투였다.

"군인 양반 혹시 가시다가 우리 복순이를 보게 되면 이리로 쫓아 보내줘요. 어제부터 안 보여서 오늘 오후에는 돌아올 줄 알았는데."

"복순이가 할머니 따님이세요?"

"딸이라면 딸이고 손주라면 손주지요. 나랑 살고 있는 둘도 없는 녀석이라우. 요즘은 반려견이라는 그럴듯한 말로 하던데, 나한테는 이제까지 자식이나 다름없지. 아니 자식 이상이지요."

"가다가 혹시 보게 되면 돌팔매질이라도 해서 이쪽으로 보낼게요."

"제발 그렇게만 해 줘요. 어제부터 안 보이니까, 속이 텅 빈 것처럼 허전한 게… 실은 복순이는 몇 년 전에 죽은 내 딸 이름이지요. 내 팔자가 얼마나 박한지, 하나 있는 딸이 수년 전에 못된 짓을 당하고는 그만… 남들은 더 함부로 몸을 뒹굴어도 살기만 잘 하더만. 우리 복순이는 그게 안 됐나 봐요. 딸이 그렇게 허망하게 가 버리고 얼마 지나지 않아 저녁나절에 웬 강아지 한 마리가 집 앞에서 어슬렁거리는데 기분이 이상하더라구. 털이 눈처럼 흰 강아지였지요. 마치 죽은 딸이 살아온 것처럼 이상한 기분이 들어 이게 보통 인연이 아닌가 싶더라구요. 그날부터서 내 딸이거니 생각하며 키웠던 건데."

슈퍼 밖으로 나오자 여전히 눈발이 세차게 몰아치고 있었다. 수도 없이 많은 흰 벌레들이 앞을 다투어 땅으로 내려오고 있었다. 산은 여전히 흐릿한 눈발에 잠겨 있었고 두터운 침묵을 발라 놓은 것 같은 정적이 주위를 감싸고 들었다. 알싸한 기운이 몸속으로 흘러내렸다. 우식은 서둘러 걸음을 옮겼다. 왔던 길을 되짚어가는 길은 그리 어렵지 않았다. 텐트막사 안에 있는 것보다 눈을 맞더라도 밖에 나와 있는 편이 여러모로 마음이 편했다.

병사들 일부는 낮잠에 빠져 있었다. 짬밥이 어느 정도 찬 고참들 몇이 반합에 라면을 끓이고 있었다. 눈송이가 연신 라면 가락 속으로 녹아들었다. 최 병장은 한쪽에 터를 잡고는 열심히 반지를 다듬고 있었다. 건너편 간부들 텐트에서는 화투짝을 두들기는 소리가 들렸다. 고를 외치는 소리가 드문드문 새어 나왔다. 잘하면 저녁엔 한순배 술잔이 돌 것 같은 분위기였다. 훈련을 나와 간부들의 모포 위에 카드나 화투짝이 깔리는 날엔 소박하게나마 술잔이 돌았다.

최 병장에게 요령껏 술을 건네다 말고 우식은 하마터면 소리를 지를 뻔 했다. 웬 흰 개 한마리가 텐트 지주대에 묶여 있었던 것이다. 눈이 부실 정도로 털이 하얗다. 그러나 얼었던 눈들이 녹아 그대로 몸에 달라붙은 탓인지 털들은 한 방향으로 쏠려 있었다. 우식은 언뜻 그 개가 할머니가 말한 복순이일지도 모른다는 생각이 들었다. 어쩌면 어젯밤 보초를 서다 언뜻 보았던 짐승이 눈 앞에 있는 개가 아닐까 싶었다.

녀석은 잔뜩 주눅이 들어 있었다. 어떻게 산을 넘어 이곳에까지 오게 되었을까. 아니 복순이가 아닐 수도 있었다. 주위에 민가가 없지만 산을 넘으면 몇 가구가 있어 그곳의 개일지도 몰랐다. 녀석의 눈빛엔 두려움이 가득 고여 있었다.

"최 병장님 웬 개가 있네요."

우식은 탄피를 다듬느라 여념이 없는 그에게 조심스레 물었다.

"관심 끄게나. 술은 저쪽에 두고 그냥 찌그러져 있어."

최 병장은 무뚝뚝하게 말머리를 잘랐다. 그리고는 우식이 건넨 종이팩 소주를 수통에 부었다. 찰랑거리는 소리가 맑게 울려 퍼졌다.

더 말을 건넸다가는 괜스레 다른 중대원들에게까지 집합의 빌미를 줄 것 같아 우식은 입을 닫았다. 그리고 조용히 밖으로 나왔다. 팔다리가 눅신하게 저려왔다. 피로가 몰려왔다. 까닭 없이 쓸쓸한 생각이 뒤를 이었다. 단체 생활에 있어서 더구나 엄격한 규율을 요하는 조직에 있어서 감상은 사치스러운 허위에 지나지 않는다는 것을 모르지 않지만, 가끔씩 우식은 심연 깊은 곳으로 빠져드는 기분이 들었다. 우울하고 허망한 실타래 속으로 얽혀

드는 것 같았다.

영미 생각이 났다. 그녀와 함께했던 짧은 시간은 살아온 모든 생의 시간보다 더 길었는지 모른다. 어느 날 영미는 몸이 아파 일찍 귀가했다고 했다. 전에 없던 일이었다. 야근을 적당히 해야 하는데 무리를 하다 보니 몸이 견뎌 내질 못했던 모양이었다. 원룸에 도착해 비밀번호를 누르는데 안에서 무엇인가 빠르게 움직이는 소리가 들렸다. 3층의 맨 끝방. 처음엔 환청이려니 싶었다. 날림으로 지어진 건물이 아니어서 층간소음은 없었던 터라 갑작스레 들려온 소리가 예사롭지 않았다. 그녀는 컨디션이 좋지 않아 소리를 잘못 들었던 것이라고 생각했다.

문을 열고 들어가자 차가운 공기가 후욱 밀려오는 느낌이 들었다. 현관 앞 거실 위에 놓여 있어야 할 깔판이 출근할 때와 달리 조금 비뚤어져 있었다. 그녀는 팔을 뻗어 깔판을 제자리에 두었다. 그리고는 앞으로 쓰러졌다. 뭔가 묵직한 것이 그녀의 어깨를 내리쳤고, 바로 앞으로 넘어지고 말았다. 그리고 몸을 돌리려는데 육중한 무언가가 그녀를 짓눌렀다. 거친 숨소리와 함께 거친 손길이 그녀의 몸으로 파고들었다. 발버둥을 쳤지만 역부족이었다. 몸을 비틀수록 더한 수렁으로 빠져드는 것처럼 꼼짝

할 수 없었다.

원룸 계약을 할 때 봤던 주인 남자였다. 까만 뿔테 안경에 머리가 벗겨진 나이보다 들어 보이는 인상의 사내였다. 사내는 그 돈으로 이만한 원룸을 계약한다는 것은 이 동네에서는 불가능하다며 선심을 쓰듯 말했다. 그러면서 인생 선배로서 하는 말인데 젊은 사람들이니까 결혼 전에 동거를 해 보는 것도 나쁘지 않다고 했다. 우식에게는 군대는 다녀왔느냐, 만약 입대 전이라면 동거부터 해야 여자가 도망가지 않는다고 무례한 말을 하기도 했다.

"살려 주세요! 살려 주세요! 제발 이러지 마세요!"

두툼한 손이 그녀의 입을 덮었다. 그리고 다른 손은 그녀의 아래를 파고들었고 이내 발가벗겨지고 말았다. 허물처럼 벗겨진 옷이 방바닥에 뒹굴었다. 그녀는 어찌할 수 없는 완력에 더 이상 저항할 수 없었다. 그녀는 속으로 우식의 이름을 불렀다. 우식이 군에 입대한 지 한 달도 안 돼 이런 일이 벌어지다니.

그날 이후 영미는 몇 차례 더 원룸 주인으로부터 끔찍한 일을 당했던 모양이다. 더 이상 그곳에 살 수 없었다. 영미는 이사를 가기 위해 마음을 먹었다. 나중을 위해서라도 감시 카메라의 영상을 확보해야 한다는 생각이 들었다. 그러나 한밤중에 카메라의 내장 카드를 빼내려다 일이 벌어지고 말았다. 3층 난간에서 추락해 뇌와 척추를 크게 다쳤던 것이다. 우식은 급히 연락을 받고 병원 응급실에 도착했을 때는 이미 모든 것이 종료된 상황이었다. 뇌 수술을 받았지만 영미는 깨어나지 못했다.

산속에서의 오후는 순식간이었다. 어둠이 내리기 시작하자 사방엔 언제인가 싶게 칠흑의 입자들이 빽빽이 차올랐다. 간부들은 간부들끼리 다시금 화투판을 벌일 모양이었다. 보초를 제외한 모두에게 취침 명령이 떨어졌다. 한 명이라도 집결지 밖으로 이동하다 발각되면 그 즉시 팬티 차림으로 눈밭을 구른다는 명령이었다. 흔히 말하는 빵빠레를 안 당하려면 고이 잠자리에 들라는 거였다.

좀처럼 잠이 오지 않았다. 정신이 또록또록해져 잠이 들 것 같지 않았다. 두두두두– 오공 탄환이 격발되는 소리가 자꾸 귓가를 맴돌았다. 단순한 폭발음이었지만 귓속으로 흘러 심장으로 파고드는 그런 느낌이었다. 사격장에 있다 보면 그런 환청이 들리기 십상이었다.

복순이의 애잔한 울음이 간헐적으로 들려왔다. 우식은 복순이가 어떻게 이곳에 왔는지 그리고 어떻게 하면 집으로 무사히 돌아가게 할 수 있을지 걱정이 됐다. 이따금씩 셰퍼드의 동물적인 울음소리도 밀려왔다. 얼마쯤 흘렀을까. 깜빡 잠이 들었던 것 같다. 눈 깜짝할 사이였던 것 같은데 밤은 꽤 깊어 있었다. 야광빛의 시곗바늘이 움직이는 모습이 보였다.

우식은 반사적으로 몸을 일으켰다. 모두들 곯아떨어진 산속의 시간은 바다 한가운데의 섬처럼 외롭고 쓸쓸했다. 근무 상황판을 보니 최 병장이 보초를 서고 있을 시간이었다. 그가 침낭 속에 없는 걸로 봐서 모처럼 근무를 서는 모양이었다. 우식은 소리 나지 않게 전투복을 챙겨 입었다. 최 병장이 보초를 제대로 서고 있는지는 관심 밖의 일이었다. 우식은 다른 무엇보다 복순이가 어떤 상태인지 궁금했다.

그런데 텐트 앞쪽에 매여 있어야 할 복순이가 보이지 않았다.

초저녁까지도 줄기차게 내리던 눈발이 그쳐 있었다. 꽁꽁 얼어붙은 바닥은 자칫 발을 헛디뎠다간 미끄러질 것 같았다. 우식은 뒤꿈치를 든 채 집결지 주위를 조심스럽게 돌았다. 그리고는 야전상의 윗주머니에서 담배를 하나 꺼내 물었다. 두 손을 모아 라이터의 불빛을 모았더니 한결 낯설음이 수그러드는 기분이었다. 발걸음을 옮길수록 무엇인가 움직이는 소리가 들렸다. 뭔가 날카로운 것이 긁히는 소리 같기도 하고 메마른 나뭇가지가 서로 부딪치는 소리 같기도 했다.

소리는 집결지 뒷편에서 한참이나 떨어진 곳에서 흘러나오고 있었다. 꽁꽁 언 겨울 산을 비집고 뭔가 알 수 없는 야성의 소리가 실타래로 풀어지고 있었다.

가르릉, 가르릉.

거친 숨소리의 주인공은 셰퍼드인 듯했다. 셰퍼드의 소리에 드문드문 다른 짐승의 애처로운 소리가 섞여들었다. 우식은 자세를 낮추었다. 바람결에 흐느적거리는 음산함이 산길을 따라 번져 나가고 있었다.

셰퍼드는 복순이의 등을 짓누르고 있었다. 셰퍼드를 지탱하고 있는 복순이의 작은 체구가 금방이라도 무너질 듯이 위태로워 보였다. 이빨을 앙다물고 버티어 선 복순이의 입에서 가녀린 신음 소리가 흘러나왔다. 복순이는 고통스런 비명을 삼키고 있었다. 셰퍼드는 점점 격렬해지기 시작했다. 얼마쯤 지났을까. 복순이는 이내 땅바닥에 주저앉고 말았다. 고무줄처럼 늘어진 혓바닥이 땅바닥에까지 늘어졌다. 그러나 최 병장은 그런 복순이를 그냥 내

버려 두지 않았다. 총기를 닦는 작고 날카로운 도구로 복순이의 아랫배를 쿡쿡 찔렀다. 고통에 못 이긴 복순이는 앞발로 땅바닥을 밀치고 다시금 일어섰다. 꼬리를 엉덩이 사이로 사려 넣었지만 어느 틈엔가 셰퍼드는 복순이의 뒤를 비집고 들어서는 것이었다. 어둠을 포위하듯 사방을 겹겹이 에워싼 겨울 숲으로 진눈깨비가 흩날렸다.

회식 뒤끝 때문인지 아랫배가 편치 않았다. 습관처럼 담배를 물었지만 입술에 감기는 촉감이 여느 날보다 까칠했다. 우식은 손끝을 털어 눈밭으로 담배를 날려 버렸다. 눈 속에 떨어진 담뱃불이 이내 잦아들었다. 간밤에 들었던 셰퍼드와 복순이가 뒤엉킨 소리처럼 그것은 허공으로 흩어졌다. 우식의 머릿속에 셰퍼드와 복순이가 뒤엉킨 모습이 선명하게 그려졌다. 복순이는 외마디 비명도 토해 내지 못한 채 빗자루처럼 연약한 네 다리를 버티고 있을 뿐이었다. 어두운 하늘을 향해 고개를 젖힌 복순이의 모습이 애처로워 보였다.

오후가 되자 최 병장은 셰퍼드 훈련을 시키러 갈 모양이었다. 근무가 없는 일요일은 고참인 그에게 더 많은 자유가 주어졌다. 방한복까지 착용한 모습이 산언덕 아래까지 내려가려는 모양이었다. 눈빛에 반사된 셰퍼드의 목에 걸린 줄이 수갑처럼 번쩍였다.

"정 일병, 복순이 데리고 나 따라와. 얘네들도 적당히 운동을 해야지 내버려 뒀다간 쫄다구들 군기 빠지듯 빠지거든."

"알겠습니다."

우식은 내키지 않았지만 별수 없이 나무에 묶여 있는 복순이의 목줄을 풀었다. 풀이 죽은 복순이는 잔뜩 겁을 먹은 모습이었다. 밥그릇에는 쌀식빵이 그대로 남아 있었다. 최 병장은 셰퍼드를 이끌고 눈이 푹푹 빠지는 언덕을 내달렸다. 그들은 바람을 가르며 눈밭을 헤쳐 나갔다. 야성으로 똘똘 뭉친 셰퍼드가 투견판에 나가면 우승은 식은 죽 먹기일 것 같았다.

눈밭을 구르던 셰퍼드의 등 위로 모락모락 김이 피어올랐다. 바싹 마른 플라타너스 잎처럼 넓은 녀석의 두 귀가 바람에 흔들렸다. 그에 비해 복순이는 힘에 겨워 자꾸만 헐떡거렸다. 눈밭을 걷는 네 발이 영영 땅속으로 박힐 것처럼 무겁게 보였다. 윤기를 잃어버린 털이 함부로 엉겨 있었다.

복순이를 찾고 있을 마을 슈퍼 주인을 생각하니 미안한 마음이 들었다. 복순이가 이곳에 붙잡혀 있다는 사실을 안다면 단박에라도 이곳 산에까지 올라올 게 분명했다.

"운동은 그만큼 시켰으니까 됐고--이제부터가 정말로 중요한 운동이니까 정 일병 너는 복순이 목줄을 꼭 붙들고 있어야 해?"

"무슨 운동을 시키는데요 최 병장님?"

"보면 알게 될 거야. 연일 훈련 받느라 수고가 많을 텐데, 잠시 눈요기나 하라구."

최 병장의 입가에 알 듯 모를 듯 미소가 어렸다. 최 병장이 셰퍼드의 두 다리 사이로 손을 넣었다. 그리고는 가볍게 쓰다듬었다. 개는 익숙한 듯 가만히 서서 최 병장의 손길을 기다렸다. 최 병장은 한 손으로는 머리를, 한 손으로는 두 다리 사이를 부드럽게 문질렀다. 얼마 후 개의 두 다리 아래로 붉은 살덩이가 밀려 나왔다. 복순이를 바라보는 두 눈이 동그랗게 커졌다. 우식은 몸을 떠는 복순이를 달래려 지긋이 안아 주었다. 최 병장은 셰퍼드의 붉은 살덩이가 단단해질 때가지 두 다리 사이를 어루만졌다. 그러자 얼마 후 붉은 살덩이에서 끈끈한 액체가 흘러내렸다. 비릿한 냄새가 불어오는 바람에 사방으로 흩날렸다.

“정 일병, 난 말야 제대 기념으로 셰퍼드의 피를 이어받은 새끼 한 마리를 갖고 싶어. 지금까지 저 녀석만큼 용맹하고 영리한 개를 못 봤어. 제대할 무렵쯤이면 저 똥개가 셰퍼드의 새끼를 낳을 수 있을 것 같은데.”

우식은 최 병장의 말에 화가 치밀었다. 그의 멱살을 잡아 땅바닥에 패대기치고 싶었다. 복순이가 더 이상 뒤를 내줄 수 없도록 목줄을 끌고 가야 할 것 같았다.

잠시 후 최 병장은 비닐종이에서 무언가를 꺼내더니 셰퍼드 앞에 놓았다. 개뼈다귀였다.

“어제 중대장님이 가지고 온 거야. 셰퍼드 훈련시킬 때 주라고 했거든.”

우식은 복순이가 최 병장이 제대할 때까지 살아 있을까 의문이 들었다. 살아 있다 해도 새끼를 낳을 수 있을 것 같지는 않았다.

산에서의 시간은 가늠할 수 없었다. 조금 느린가 싶다가도 오후 나절이 되면 가파르게 내달리는 게 시간이었다. 무엇으로도 통제할 수 없는 게 시간의 신비였다. 우식은 언제 제대할 수 있을지 한숨이 나왔다. 자신을 친동생 이상으로 아껴 주던 선 병장의 소식이 궁금했지만 부러 연락하지 않았다. 우식이 부대를 배치받아 왔을 때,

선 병장은 제대를 얼마 남겨놓고 있지 않았다. 마음의 여유가 있어서인지 아니면 원래 조용조용한 성격 때문인지 선 병장은 우식을 격의 없이 대했다. 우식은 선 병장이 자신에게 곁을 주고 있다는 생각이 들었다.

저녁을 먹고는 중대원들이 모두 막사에 집결했다. 일정상 정신교육이 예정돼 있었지만 연 이틀 내린 눈 때문에 총기수입으로 대체되었다. 고리타분한 정신교육보다 손을 움직이는 편이 훨씬 나았다. 습기는 모든 화기의 적이었다. 오공뿐만 아니라 개인용 M16까지 수입을 실시하라는 거였다. 중대장은 총도 못 쏘는 놈들은 총구 구멍이나 깨끗이 닦으라며 강조를 했다.

총기수입이 끝나고 저녁 보초 근무자 명단이 게시판에 게재되었다. 우식은 어제는 비번이었으니까 오늘은 틀림없이 새벽쯤이나 근무가 걸릴 게 분명했다. 예상대로였다. 우식은 새벽 3시 타임에 배치돼 있었다. 한창 잠이 쏟아질 시간이었지만 눈이 내리는 한밤중 혼자 보초를 서는 것도 나쁘지 않았다. 날씨를 봐서는 한밤중에 또 한차례 눈이 쏟아질 것도 같았다. 별수 없이 내복까지 단단히 껴입어야 할 것 같았다.

불침번 근무자가 깨우지도 않았는데도 우식은 정확히 두 시 반에 저절로 눈을 떴다. 눈을 많이 붙인 건 아닌데 오히려 머리는 맑았다. 텐트 빈 공간 사이로 어슴푸레한 산의 능선이 보였다. 허공을 가르는 바람이 채찍에 휘갈겨 매섭게 불어오는 것 같았다. 우식은 불침번이 흔들어 깨울 때까지 눈을 감은 채로 몇 분간을 그렇게 누워 있었다.

불침번의 발자국 소리가 들려오자 우식은 바로 침낭에서 몸을 일으켰다. 김 상병은 날씨가 춥다며 단단히 복장을 챙기라고 했다. 그러면서 손수 목도리까지 감아 주었다. 우식은 다가오는 정기휴가 때는 꼭 김 상병과 날짜가 겹쳐 함께 나갔으면 좋겠다는 생각을 했다. 김 상병이 좋아하는 낚시를 함께하며 이것저것 묻고 싶었다. 왜 낚시를 좋아하는지 가장 좋아하는 어종은 무엇인지, 제대를 하면 입대하기 전처럼 낚시 업종을 운영할지, 우식은 궁금한 게 많았다.

M16을 메고 밖으로 나왔다. 추위에 얼어 버린 듯 산골짜기 음영은 미동도 하지 않았다. 셰퍼드와 복순이도 깊이 잠들어 있었다. 그러나 녀석들은 작은 부스럭거리는 소리에도 금세 귀를 세웠다. 얼마쯤 지났을까. 교대를 하고 침낭 속으로 들어간 김 상병에게서 코 고는 소리가 들

렸다. 그리고 이내 그 소리는 잦아들었다. 얼마 후 다시 규칙적인 리듬을 타고 코 고는 소리가 들리자, 옆에 있던 후임병들이 뒤척거리는 소리가 들렸다. 이따금씩 겨울 숲의 나뭇가지 부러지는 소리가 허공 속으로 아스라이 밀려와 귓가를 물들였다.

우식은 어둠의 저편을 한동안 보다 말고 방향을 돌렸다. 그리고 조용히 텐트 안으로 들어갔다. 김 상병의 야전상의에서 조심스레 탄환 박스 열쇠를 꺼냈다. 심장이 점차 성능이 좋지 않은 차의 엔진처럼 불규칙하게 자맥질을 하기 시작했다. 하마터면 열쇠를 바닥에 떨어뜨릴 뻔했다.

본부 텐트에는 여전히 여러 개의 박스가 잘 보관되어 있었다. 저마다 시건장치가 돼 있었는데 우식은 숨을 멈춘 사태에서 박스를 열었다. 그리고 탄환 10발이 들어 있는 탄창을 하나 꺼내 들었다. 가슴에 품고 나오는데 셰퍼드가 우식을 보듯이 동그란 눈으로 주시를 했다. 한동안 정밀한 정적이 감돌았다. 우식은 가슴에 총을 품은 상태에서 조심스레 탄창을 총에 결합했다. '철커덕' 작은 소리가 들렸지만 이내 바람 속으로 스며들었다. 우식은 이번에는 김 상병이 따로 관리하는 공구 상자도 열었다. 예상대로 거기에는 몇 개의 낚싯줄이 들어 있었다. 필경 김 상병이 휴가 나가면 낚시를 하려고 그동안 모아 둔 것일 터였다. 우식은 야전잠바 안주머니에서 저녁 식사 때 챙겨 두었던 생선 튀김을 꺼내 몇 가닥의 낚싯바늘에 끼웠다.

셰퍼드는 미동도 하지 않았다. 그동안 우식을 적잖이 봐 왔던 터라 경계하지 않는 것 같았다. 그러나 조용히 들어보면 셰퍼드의 입에서 연신 숨소리가 들려왔다. 우식은 자신도 모르게 오금이 저렸다. 셰퍼드에게 가까이 다가가자 파란 인광이 선명하게 보였다. 마치 이글거리는 블랙홀로 이편이 빨려 들어가고 있는 듯한 착각이 일었다. 우식은 조심히 그러나 과감하게 생선이 끼워진 낚싯바늘을 던졌다. "왝-" 셰퍼드는 낚싯바늘을 한꺼번에 집어 삼켰다. 순식간이었다. 우식은 지체없이 낚싯줄을 확 잡아챘다. 혓바닥에 박힌 바늘은 녀석의 반항을 단번에 응고시켜 버리고 말았다. 녀석은 어떻게 해볼 틈도 없이 우식이 던진 낚시에 걸려들었다. 손끝으로 짜릿한 쾌감이 전해져 왔다. 전기에라도 감전된 것 같은 파들파들한 떨림이었다. 셰퍼드는 우식이 이끄는 대로 움직일 수밖에 없었다. 거품으로 번들거리는 입에선 연신 끈적끈적한 타액이 흘러내렸다.

우식은 녀석을 언덕 아래로 이끌었다. 가르릉- 가르릉- 쉴 새 없이 뱉어 내는 야성의 소리가 음울한 겨울 산을 더더욱 음산하게 만들었다. 엉덩이를 뒤로 뺀 채 억지로 딸려 오는 녀석은 초라하기 그지없었다. 우식은 빠른 손놀림으로 낚싯줄을 소나무에 묶었다. 그리고 개 줄을 반대편 나무에 단단히 매었다. 녀석이 움직일수록 줄은 더욱 팽팽하게 당겨졌고 바늘은 살 속으로 파고들었을 터였다. 우식을 노려보던 녀석의 눈빛에서 파란 안광이 번쩍였다. 우식은 재빨리 총의 잠금장치를 조금의 실수 없이 빠르게 움직였다.

타앙-. 방아쇠울에 걸려 있던 검지손가락이 어느 순간 방아쇠를 당기고 말았다. 훈련 때는 영점을 잡느라 애를 먹었는데 이상하게도 상이 정확하게 맺혀졌다. 캥 울음소리와 동시에 셰퍼드는 허공으로 떠올랐다. 그와 동시에 비린내 나는 핏물이 사방으로 튀었다. 우식은 곧바로 또 한 발을 녀석의 두 다리를 향해 쏘았다. 곳곳에 뜨거운 피가 흩뿌려졌다. 녀석의 몸뚱아리는 젖은 종이처럼 땅바닥에 눌어붙은 채 급속도로 응고되기 시작했다.

그리고 우식은 지체 없이 텐트막사 쪽으로 있는 힘껏 뛰었다. 텐트 안에서는 플래시 불빛이 어지럽게 흔들리고 있었다. 다들 전투복을 입고 완전무장을 하느라 야단들이었다. 우식은 텐트에서 멀찍이 떨어져 매여 있는 복순이 개 줄을 풀었다. 그리고는 복순이를 산 아래쪽으로 떠밀었다. 바들바들 떠는 복순이는 잠시 어느 방향으로 뛰어야 할지 망설이는가 싶더니 이내 곧 쏜살같이 내달렸다. 우식은 마지막 남은 한 발을 어두운 밤하늘을 향해 쏘았다. 복순이가 조금이라도 더 빨리 이곳에서 도망칠 수 있게 위협사격을 가했다.

우식은 산 아래쪽을 향해 내달리는 복순이에게 손을 흔들었다. 영미의 눈빛이 어른거리는 것도 같았다. 우식은 영미의 이름을 부르려다 말고 입을 다물었다. 싸이렌 소리가 울리며 새벽 겨울 산이 깨어나고 있었다.

정 일병은 생각만큼 술을 많이 마시지 않았다. 상현은 그에게 더 이상 술을 권하지 않았다. 취기가 조금 올랐지만, 술 때문인지 이야기를 하느라 열이 오른 것인지는 알 수 없었다. 우식이 말한 이야기가 진짜 상현이 몸담았던 부대에서 벌어진 일일까라는 의문이 들었다. 그러나 사실일 거였다. 예전에 비해 군대가 좋아졌다고 하지만 군대는 군대였고 조직은 조직이었다. 우식은 다행히 사람을 쏘지는 않은 모양이었다. 최 병장은 어떻게 됐느냐는 말에, 우식은 그 사람은 얼마간의 징벌방 생활을 하고 얼마 후 제대했다고 덧붙였다. 우식은 그 일로 영창을 가게 되었노라며 고개를 주억거렸다. 얼마간 영창을 살다 보니 도대체 자신이 왜 그런 일을 했는지 종잡을 수 없었다고도 했다. 그러나 후회는 하지 않는다며 주억거렸다.

"제가 어떻게 군 생활을 다 마쳤는지 이해할 수가 없네요. 저는 평범한 군 생활, 평범한 행복을 꿈꿨어요. 제대를 하면 영미와 함께 가정을 꾸리고 소박하게 살고 싶었죠. 그런데 모든 것이 끝났어요."

그는 누군가에게 자신의 이야기를 하고 싶었다고 했다. 선 병장을 불쑥 찾아온 이유는, 자신의 이야기를 아무런 편견 없이 있는 그대로 들어줄 것 같다는 생각 때문이라는 거였다. 상현은 그저 그의 이야기를 묵묵히 들어주었다. 안타깝지만 상현이 우식에게 해 줄 수 있는 말은 거의 없었다. 뭐라 단정할 수도 그렇다고 잘했다고 편을 들 수도 없었다.

우식은 상현이 이렇다 할 반응이 없자 조금 풀이 죽은 모습이었다. 상현은 남은 술을 비우고 일어섰다. 언제든 답답하거나 힘들 때는 찾아오라는 말과 함께 얼마의 돈을 우식의 호주머니에 찔러주었다. 우식은 돈을 받지 않겠다고 거절을 했지만, 상현은 그의 두 손을 꼭 쥐었다. 그리고는 언젠가 한번 시간이 나면 예전에 몸담았던 부대 인근에 한번 가 보자고 했다. 기억은 잊히게 마련이고 윤색되게 마련이라는 말을 하려다 말았다.

택시에 오르는 우식의 모습이 다소 쓸쓸해 보였다. 우식을 태우고 떠난 택시의 뒤꽁무니가 유독 도드라져 보였다. 새로 출시된 신차들의 뒤태가 날로 세련미를 더한다는 뉴스를 접한 지가 엊그제였다. 제법 싸늘한 밤공기가 부드럽게 몸을 휘감았다. 우식의 마음속에 드리워진 상흔이 하루빨리 지워져야 할 텐데. 상현은 불이 꺼진 학원 간판을 보며 군대도 학원에서 미리 선행 학습을 하고 들어가면 얼마나 좋을까 하는 생각을 잠시 했다.

11월의
포장마차

연탄불은 어느새 벌겋게 달아올라 있다. 이때부터서는 불의 전성기다. 구멍 사이로 무리 지어 피어난 불꽃은 흡사 꽃뱀의 혓바닥처럼 현란하다. 어떻게 구멍과 구멍 사이에서 불이 한데 엉겨 피어오를 수 있을까. 불은 이웃한 불씨를 불러 새끼를 치고 그 새끼는 또 다른 불씨를 낳는다. 불의 대물림. 차츰차츰 퍼런 불꽃이 미세한 바람에 일렁이며 더 큰 불로 이어진다. 영화 속 어느 여주인공의 시퍼런 입술처럼 잔뜩 독을 품고 있는 불꽃의 향연. 며칠 전 고양이 엉덩이 뒤께로 새끼들이 빠져나오던 직전의 붉은 속살을 닮아 있다.

지지직-

찜통을 타고 물방울이 흘러내린다. 길다란 얼룩이 꼬리를 물고 흘러내린다. 잠시 후 물의 입자는 흔적 없이 사라지고 미세한 연기가 꾸물꾸물 살아난다. 불에 닿은 물은 그을음과 몇 줄기 연기로 변한다. 어스름 직전의 연탄불은 그렇듯 몽롱하고 비현실적인 느낌을 준다. 나는 불구멍 두 개를 닫고는 자리에서 일어섰다.

도마질 소리가 되살아난다. 한 치의 오차도 없이 정교한 간격으로 이어지는 소리처럼, 우리의 일상도 흐트러지지 않고 순탄하게 굴러갔으면 싶다. 특유의 냄새가 식탁을 가득 메운다. 밤을 지배하는 것은 역시나 냄새라는 뿌연 기체다. 이 시간 밖의 어두운 골목을 지배하는 것 또한 생명체들이 피워 올린 냄새일 것이다. 발정 난 짐승들의 암내와 취객들이 쏟아 낸 묽은 토사물과 싸구려 여관의 수챗구멍을 통해 흘러나오는 비릿한 하수들.

어머니는 양념장을 만들고 있다. 장사를 시작하기 전 어머니는 언제나 찜통 가득 국물을 우려낸다. 찜통 속에는 밑동을 잘라 낸 둥근 무와 시퍼런 빛깔이 아직 성성한 대파 그리고 뭉툭한 생강 조각이 섞여 있다. 어머니가 우려낸 국물 맛은 진하고 텁텁하다. 나는 그것이 어머니 특유의 손맛이라 지레짐작할 뿐이지 어떻게 맛을 우려내는지는 여태 묻지 않았다. 국물이 어느 정도 끓었다 싶으면 어머니는 바로 양념장을 만든다. 삶은 국수를 말아 먹거나 어묵을 찍어 먹거나 튀김을 상추에 싸 먹을 때 양념장 만큼 중요한 게 없다. 음식의 맛을 살리거나 입맛을 돋우는 마술의 액체가 바로 양념장인 것이다.

어느 날엔가 나는 양념장을 만들던 어머니가 갑자기 눈물을 쏟는 것을 본 적이 있다. 투명한 눈물은 말간 간장 국물에 떨어져 흔적 없이 사라졌다. 나는 못 본 척 고개를 돌렸지만 그때 문득 양념장의 맛은 어머니의 눈물이 첨가된 덕분이라고 생각했다. 도를 넘은 생뚱맞은 상상인지는 모르지만, 나는 그때부터 양념장 맛은 눈물 맛이라고 지레짐작했다. 그날 따라 포장마차를 찾은 손님들이 양념장 간이 잘 뱄다며 입맛을 다시던 것을 나는 기억한다.

11월의 밤은 언제나 우울하다. 아니 언제나는 아니지만, 대체로 우울한 기운을 준다. 늦가을과 초겨울이 만나는 그 시간, 거리의 사람들은 저마다 우울증 환자가 되어 버린 것 같다. 낭만포차에서 바라보는 거리는 썰렁하다기보다 쓸쓸하다. 공단에서 퇴근하는 사람들이 건너편 도로에서 버스를 기다리고 있다. 추수가 끝나 버린 황량한 들판에 서 있는 허수아비처럼 그들은 허허로운 모습이다. 밤과 낮이 바뀌는 짧은 시간의 간극과 그에 맞물린

초저녁의 풍경은, 때때로 삶의 경계 끝에 서 있는 듯한 긴장감을 준다.

나는 눈을 들어 하늘을 올려다본다. 어스름이 빠르게 몰려오고 있다. 문득 어린 시절 선잠을 깼을 때의 몽롱한 기억들이 빠르게 밀려온다. 아무도 없는 빈방에서 어둠 속 저편을 응시하며 본능처럼 울음을 터뜨렸을 때의 기억들. 마당 앞 빈터를 뒤덮고 있던 보리수나무와 살구나무 그리고 이름 모를 곤충들의 울음소리들, 화덕 속에서 붉은 혓바닥을 날름날름 피워 내던 연탄불의 이미지가 살아난다. 마른바람이 거리를 휩쓸고 먹지 같은 어둠이 스스로 내려올 때, 대여섯 살의 나는 알 수 없는 쓸쓸함과 적요에 몸부림을 치며 울었다.

"네 누나가 꼭 시험에 합격해야 할 텐데. 네 누나가 교사만 되어도 우리 집 형편이 좀 풀릴 텐데…. 요즘은 공부가 많이 힘드는지 네 누나가 통 말이 없구나."

어머니는 어묵 국물을 데우며 긴 한숨을 뱉는다. 한숨에는 혹여 누나가 합격하지 못하면 어쩌나 하는 불안감이 깃들어 있다. 철판에는 떡볶이와 어묵, 계란이 맛있게 익어 가고 있다. 되직하게 엉긴 붉은 양념이 맛깔스러워 보인다. 비닐을 씌운 순대 함지박에서도 잘 삶아진 특유의 냄새가 배어 나온다. 저녁 장사 준비가 끝났지만 어머니의 깊은 한숨이 어둠 속으로 연신 흘러나온다.

버스에서 내린 사람들이 포장마차 안을 흘끔거리며 사라진다. 호주머니 사정이 가벼운 것인지 실내 포장마차가 아닌 시대에 뒤떨어진 고전적인 포장마차여서 실망했기 때문인지 알 수 없다. 나는 예전의 포장마차 콘셉트로는 더 이상 손님들을 유인할 수 없으니 돈이 더 들더라도 실내 포장마차로 바꾸자고 했다. 그러나 어머니는 그만한 여력도 없으며 그냥 해 온 대로 하는 것이 그나마 있는 손님마저 붙들 수 있는 방법이라고 했다.

계속되는 경기 불황으로 이곳 공단 가동률도 예전에 비해 많이 떨어졌다. 매물로 나온 공장도 여러 곳인데다 부도로 문을 닫은 공장도 적지 않다. 셔터에 임대 안내문이 부착된 공장도 눈에 띄게 늘었다. 사람들의 표정이 그리 밝지 않은 이유를 모르는 건 아니다. 공단 사람들뿐만 아니라 이곳과 거래를 하는 업체 사람들의 표정도 11월의 밤을 닮았다. 사람들의 표정이란 묘해서 감출수록 마음 속 빛깔과 무늬가 고스란히 드러나는 특징이 있다. 원래의 표정에 또 다른 표정이 덧씌워지고 그리고 몇 번의 변화를 거쳐 특유의 인상이 만들어지는 법이다. 인상이란 그래서 숱한 마음의 침전물이나 다름없다. 나는 그것을 가끔씩 어머니의 얼굴에서, 그리고 누나와 아버지의 얼굴에서 보곤 한다. 어쩌면 나는 아버지의 응고된 눈빛에서도 당신의 감춰진 생각을 읽었는지 모른다. 움직이지 않는 눈동자 속엔 무수한 말들이 그대로 저장되어 있었을 것이다. 무언가를 간구하는 것 같기도 했고, 알 수 없는 대상을 향해 적의를 드러내는 것 같기도 했다. 어느 때는 생과 사의 경계를 배회하고 있다는 생각이 들기도 했다.

아버지는 지금까지 계속 방에만 누워 있다. 나는 단 한 번도 아버지가 몸을 일으켜 당신 힘으로 바깥출입한 것을 본 적이 없다. 처음엔 모든 아버지들은 저렇듯 방에만 누워 지내는 줄로만 알았다. 아버지는 누군가의 도움 없이는 조금도 거동을 할 수 없었다. 숨만 내쉰다 뿐이지 밀랍인형이나 마찬가지였다. 어머니가 나를 가졌을 무렵 아버지는 공사판에서 추락 사고를 당했다. 처음에 어머니는 아버지가 돌아가신 줄 알았다고 했다. 5층 높이에서 발을 잘못 내디딘 아버지는 운 좋게도 목숨은 건질 수 있었다. 그러나 생명을 건진 대가로 아버지는 많은 것들을 포기해야 했다. 움직일 수 있는 자유를 박탈당했으며 언어를 잃어버렸다. 척추를 심하게 다친 아버지는 생리적인 현상마저도 당신의 의지대로 조절할 수조차 없었다. 늘상 기저귀를 차고 있어야 하는 탓에 엉덩이는 심하게 짓물러 있었다.

사고가 나던 날, 아버지는 새참으로 막걸리를 마셨던 모양이다. 공사 현장 관계자의 말에 따르면 아버지는 안전모도 착용하지도 않았으며 난간을 밟아서는 안 된다는 안전 수칙마저 무시했다고 한다. 공사 관계자는 병원비와 몇 푼의 위로금 외에는 보상을 해 줄 수 없다고 발뺌을 했다. 영세 건설업체인 탓에 손을 써 본다 한들 받을 수 있는 혜택이 거의 없었다. 어머니는 울며 겨자 먹기로 합의서에 도장을 찍었다. 바로 다음 날부터 돈벌이에 나서야 하는 운명이 어머니를 기다리고 있었다.

나는 대학 1학년을 마친 상태다. 얼마 안 있으면 입대를 하게 돼 있다. 아직 입영 날짜를 받아 둔 것은 아니지만 병무청에 조기 입영희망원을 제출한 상태다. 병무청 직원은 늦어도 내년 봄 무렵이면 입대할 것 같다고 했다. 등록금만 여유 있다면 2학년을 마치고 입대할 생각이었다. 그러나 나는 장학금을 받지 못했다. 장학금을 받지 못했다는 것은 삶이 한 단계 더 곤궁해진다는 것을 의미했다. 나는 어머니를 보는 것이 죄송스러웠다. 내가 집을 위해 도울 수 있는 길은 하루 빨리 군대에 입대해 군 복무를 마치는 것이었다. 그리고 즉시 복학을 해 남은 3년 과정을 최대한 신속하게 끝내는 것이다. 그리고 취직을 해 돈을 버는 것이다. 돈을 벌어 아버지의 약값도 보태고 어머니의 내복도 사 드리고 싶다. 언젠가는 두 분을 모시고 가까운 곳에라도 여행을 가고도 싶다. 그러나 시나 소설을 쓰는 법을 배우는 문예창작과를 졸업해 4대 보험이 되는 직장에 들어갈 수 있을까 생각해 보면 아득할 때가 있다.

입대하기 전에 조금이라도 어머니를 돕기 위해 포장마차에 나오지만 실상은 크게 할 일은 없다. 가끔 무거운 짐을 나르거나, 식자재 마트에 들러 재료를 사 오는 것이 내가 하는 일이다. 식수가 떨어지거나, 냅킨이 없을 때도 눈치껏 갖고 오는 것도 내 담당이다. 또 한 가지 중요한 일이 있다면 우려낸 어묵 국물 맛을 보고 싱거운지 짠지 간을 보는 것이다.

누나가 곧 임용고사를 치르게 된다는 사실은 그나마 위안이 된다. 초등학교 때부터 우등생이었던 누나는 어머니의 기대를 저버리지 않았고, 지방 국립대 사범대를 우수한 성적으로 졸업했다. 분명 누나가 임용고사를 합격할 것으로 믿고 있었다. 그러면 우리 집 형편도 조금은 나아질 거라는 기대가 있었다. 어머니가 꾸리는 포장마차 수입만으로는 아버지 약값을 감당하기도 벅차다. 한 가지 우려스러운 것은 요즘 들어 누나가 부쩍 말수가 없어졌고 우울해 보인다는 점이다. 시험에 대한 중압감 때문일지 모른다. 작년에 시험에 떨어지고 나서 누나는 한동안 방황 아닌 방황을 했다. 그러면서 원룸이라도 얻어 나가 살고 싶다고, 이런저런 집안일 신경 쓰지 않고 시험에만 집중하고 싶다고 했다. 그러나 말은 그렇게 했지만 누나는 그 월세 값이면 우리 집의 적잖은 생활비라는 것을 모르지 않는다. 막상 그 말을 꺼내고 아차 싶었는지, 누나는 그냥 해 본 소리라며 조금만 참으면 된다고 살짝 미소를 지었다.

"안녕하세요. 아주머니."

"오랜만이네. 요즘 통 얼굴이 보이지 않던데."

아이스크림 공장에 다니는 미순이라는 아가씨였다. 거의 매일 포장마차에 오곤 했는데 요즘은 바쁜 일이 있는지 발걸음이 뜸했다. 그녀는 늘 혼자 와서는 외로움을 안주 삼아 소주를 마셨다. 가끔은 배가 고프다며 국수를 말아 먹고 가기도 했다. 아이스크림 공장은 하루 3교대였다. 겨울에는 여름에 비해 물량이 많이 나가지 않기 때문에 특근은 거의 없다. 눈코 뜰 새 없는 날은 포장마차에 올 시간도 없는 눈치다. 미순은 닭발에 소주를 걸치거나 떡볶이에 순대를 곁들여 먹는 걸 좋아했다. 인근에 있는 임대 아파트에서 생활하는데 착실히 돈을 벌어 매년 임대 보증금을 높여 가는 중이었다.

"며칠 안 보이더니, 휴가 갔다 왔나 봐. 얼굴이 많이 빠졌네."

"아니요. 몸이 아파서 쉬었어요."

"그러게 술 좀 작작 마셔야지. 몸이 아프면 다 필요 없다구."

어머니는 미순을 조카 대하듯 한다. 어느 땐 딸에게 말을 하는 것처럼 느껴진다. 아마도 어머니는 누나와 나이가 같은 미순을 남다르게 생각하는 것 같다.

"술이라도 조금 마셔 줘야 숨통이 트이지 그렇지 않으면 숨 막혀서 도저히 못 견디겠어요. 죽으면 썩어 문드러질 육신 뭐하러 아껴요. 마실 수 있을 때 마셔야지."

미순은 홍합 조개 국물을 소주를 한입에 털어 넣는다. 어머니의 타박에 그녀는 인생을 오래 산 중년의 아주머니나 하는 말을 한다. 실제 나이만 이십 대 중반이지 사는 것을 보면 그보다 더한 생을 살고 있다는 생각이 들 때가 있다. 억척스럽게 열심히 돈을 버는 게 다 그녀의 집안을 위해서라는 것을 모르는 알기 때문이다. 그녀의 하얗고 가녀린 목젖이 미세하게 떨린다. 투명하고 맑은 소주가 식도를 타고 속으로 흘러내려가는 느낌이 고스란히 전해 온다. 소주가 위장에 닿을 무렵쯤 그녀의 눈가에 주름이 잡힌다.

어머니는 연탄불에 닭발을 올려놓으며 연기를 손으로 젓는다. 오래전부터 가스를 사용하자고 해도 어머니는 막무가내다. 그나마 포장마차에 오는 사람들은 연탄 불맛을 보려고 온다는 것이다. 일종의 경쟁력이다. 그럴 때마다 나는 "누가 지금까지 연탄을 때냐"며 타박 아닌 타박을 한다. 어머니가 연탄불을 고집하는 이유를 모르지 않지만, 실내 공기도 탁한 데다 호흡기에도 좋지 않은 영향을 주기 때문이다.

연기 속에서 우두커니 닭발을 굽고 있는 어머니의 모습을 볼 때면 마음이 편치 않다. 생계를 책임져야 하는 탓에 어머니의 삶은 거의 없었다. 조금의 휴식이나 조금의 사치도 허락되지 않았다. 어머니에겐 불의 냄새가 배어 있다. 스쳐 지나갈 때면 미세한 불의 냄새와 비릿한 고기 냄새가 번져 온다. 지금까지 어머니는 얼마나 많은 짐승의 발과 내장을 연탄불에 구워 내었을까. 나는 그 냄새를 들이켜며 조금 전 미순이 누나가 말했던 썩어 문드러질 육신이라는 말을 떠올린다. 어쩌면 우리가 죽고 혼이 빠져나가 버린 육신에서는 저런 냄새가 나지 않을까. 그리고 남아 있는 사람들은 그 냄새를 기억하며 그들 나름의 삶을 살아가는 것은 아닌지.

아버지의 방에서는 언제나 젖은 냄새가 난다. 어느 때 그것은 연탄불에서 스며 나오는 이산화탄소 가스보다 더 독하게 콧속을 파고든다. 창문을 열어 놔도 그때뿐이다. 밖을 볼 수 없는 아버지는 계절의 감각을 잃어버렸다. 아버지의 방엔 계절이 없다. 아버지의 시간은 사고가 난 이후로 정지되어 버렸다. 아버지의 방에 들어갈 때마다 낯선 바닷가에서 마주하는 안개 속을 거니는 느낌이다. 그곳에 들어가면 나 또한 계절을 잃어버린 착각이 든다. 이십 년이 넘게 그 모습을 봤기에 아버지는 움직이지 않는 정물화의 이미지로 각인돼 있다.

아버지는 가끔씩 나를 바라보며 알 수 없는 표정을 짓곤 한다. 웃을 듯 말 듯 희미하게 펴지는 입 언저리의 미소는 창백하다. 몸은 비대해진 데 비해 모든 감각은 갈수록 퇴화하고 있는 중이다. 용불용설이라는 유전법칙에 따르면 아버지의 모든 신체 기관은 퇴화를 거듭한 나머지 무용지물이 될 것이다. 내가 태어나기 전 아버지는 손끝이 제법 야문 목수로 소문이 나 있었다. 아버지의 손을 볼 때마다, 그 손으로 쌓아 올렸을 아파트와 건물을 상상하곤 한다. 집에서 가까운 꿈의 마을 아파트는 아버지가 사고 나기 이전 목수로 일했던 현장이다. 나는 그 아파트 앞을 지날 때마다 이곳을 지을 때 꾸었을 아버지의 꿈을 생각하곤 한다. 목재를 다듬고 합판에 금을 긋고 일일이 치수를 재 가며 건물의 틀을 만들었을 아버지의 모습이 그려진다. 아버지는 누가 살더라도 행복하고 건강하기를 바랐을 것이다. 그러면서 당신도 자신이 지은 아파트에 언젠가는 입주하는 날을 그렸을 것이다. 아버지의 꿈의 마을 또한 다른 이들이 꾸는 그것과 다르지 않았으리라는 생각을 하자, 나는 가슴 한편이 빼근해진다.

내가 방에 들어가면 아버지의 얼굴에 잠시 잠깐 생기가 돈다. 검고 메마른 안색이지만 희미한 미소 속에 나에 대한 관심과 사랑을 담아 두는 것이다. 마른 종잇장처럼 아무런 생기가 없는 피부는 점점 늦가을 낙엽처럼 말라

가고 있다. 이불을 걷을 때면 살비듬이 일어난다. 부유하는 살비듬은 다시 아버지의 코와 입속으로 고스란히 빨려 들어간다. 마른 삭정이처럼 메마른 뼈는 금방이라도 바스라질 것 같다. 나는 물수건으로 아버지의 몸을 닦아 낸다. 검버섯이 핀 몸에선 오래 묵은 된장 냄새가 난다. 나는 천천히 아버지의 뒤를 닦아 준다. 물수건을 갈아 몸 구석구석을 닦아 주고 나면 다른 무엇보다 내가 개운하다.

이따금씩 아버지의 눈에서 가느다란 물빛이 비칠 때가 있다. 슬픔도, 외로움도 고이면 저렇듯 넘치는 것이구나. 나는 문득문득 사고가 나기 전의 창창했을 아버지의 젊음을 떠올리곤 한다. 그리고는 언어를 잃어버린 아버지를 대신해 무슨 소리라도 힘껏 내지르고 싶어진다. 다시는 오지 않을 그 행복, 다시는 찾을 수 없는 꿈이 검버섯처럼 엉겨 아버지의 삶을 점점 바닥으로 끌어내리고 있다.

누나는 아직 돌아오지 않았다. 아마도 막차가 끊어지는 무렵에 집으로 돌아올 것이다. 집은 공부할 수 있는 분위기가 아니어서 늦은 시간까지 도서관에서 공부를 한다. 임용고사가 멀지 않은 탓인지 요즘 부쩍 신경이 날카로워져 있다. 나는 어느 땐 누나가 새끼를 갓 낳은 암고양이처럼 느껴질 때가 있다. 오로지 임용고사 합격에만 목매다 보니 다른 것은 생각할 겨를이 없다. 어머니는 그런 누나를 애써 못 본 체한다. 작년 시험을 준비할 때부터 집안일에는 손도 대지 않게 했다. "혜미야 너는 아무것도 생각하지 말고 시험공부에만 집중해라. 어려운 고비는 다 넘어가게 돼 있으니까 마음 독하게 먹고." 어머니는 누나를 위로하는 말을 곧잘 했지만 그것이 부담이 된다는 것을 나는 모르지 않았다. 그때마다 누나는 이렇게 말을 했다. "이번에 시험 떨어지면 더 이상 공부 안 하고 다른 일을 찾아볼 거야. 정말이지 공부 지긋지긋하거든." 누나의 마음을 이해 못하는 것은 아니었다. 모범생처럼 살아온 누나에게 공부와 시험이라는 단어는 족쇄나 다름없었을 터였다. 모두 수업료 면제, 장학금, 학점 등과 연관돼 있어 누나는 기계처럼 공부를 해야 했다.

원래 누나의 꿈은 교사가 아니었다. 교사에 대한 꿈은 어머니의 꿈이었지 누나의 것은 아니었다. 누나는 디자이너가 되고 싶어 했다. 어머니는 그런 누나의 꿈을 모르지 않았다. 그러나 집안을 위해서는 그리고 누나의 인생을 위해서는 안정적인 학교 선생님이 되는 게 최고라는 생각을 했다. 어머니의 생각을 나쁘다고 할 수는 없다. 현재로선 가장 현실적이고 실현 가능한 일이었다. 그러면서 항상 따라오는 말이 있다. "교사가 되면 방학 틈틈이 취미로 디자인 일을 할 수 있을 거야. 예능 쪽은 밥 먹고 살기 힘들어. 넌 맏이니까 충분히 우리 집 형편을 알고 있을 거라 믿어. 네가 잘돼야 동생 뒷바라지도 하고 아버지 약값도 보탤 수 있지 않겠니? 직장이라는 곳은 첫 단추를 잘 꿰어야지 그렇지 않으면 평생 후회하거든."

나는 그 말이 얼마나 누나를 옥죄는 사슬과 같은 것인지 누구보다 잘 안다. 다른 이유 때문에 꿈을 저당 잡힌다는 것은 슬픈 일이다. 다른 것에 의해 자신의 꿈이 유괴당하는 것과 마찬가지다. 누나는 하루빨리 임용고사에 합격해 발령을 받아 먼 곳으로 가고 싶어 한다. 맏이라는 겉옷을 벗고 조금은 편안한 자신만의 옷을 입고 싶어 한다. 그러나 누나는 쉽게 어머니의 기대를 저버리지 못할 것이다. 어머니의 기대도 기대지만, 누나가 초등학교 입학하기 전까지 가졌던 아버지와의 추억을 잊지 못할 것이다. 언젠가 누나는 내게 그런 말을 독백처럼 했었다. "아빠가 나를 얼마나 예뻐했는지 아니? 아빠의 목말을 탈 때면 나는 세상 누구보다도 행복한 아이였어. 그때만큼은 모든 것을 가진 아이였으니까."

그런 아버지를 생각하는 누나가 자신만을 위한 꿈을

꾸기는 힘들 것이다. 답답하고 무거운 현실을 비켜 가기 위해서는 교사 시험에 합격하는 것 외에는 달리 방법이 없는 것이다.

"아버지 잘 주무세요. 좋은 꿈도 꾸시구요."

아버지는 희미한 미소를 짓는다. 나는 아버지의 두 손을 가만히 잡아 준다. 허공을 보는 듯 먼 곳을 보는 아버지의 눈빛은 쓸쓸하다. 허공을 응시하는 것인지 나를 보는 것인지 알 수 없다. 아버지에게 눈인사를 하고 방을 나오면, 이전과는 다른 공기가 코끝으로 밀려온다. 오래된 단독주택이라 초겨울만 되도 외풍이 심하다. 40년이 넘은 집이라 수시로 보수를 하지 않으면 거주할 수가 없다. 오래되고 낡은 집들은 태풍이 불거나 폭설이 내리면 자칫 무너질 위험이 있다. 산 중턱을 깎아 만든 주거지라 외지 사람들은 흔히 달동네라고 부르는데 진짜 이름은 신동마을이다. 새롭게 생긴 동네라는 뜻인데 처음 주거지로 개발됐을 때는 근동에서는 가장 선호하는 주거 단지였다. 몇 년 전부터는 재개발된다는 소문은 드문드문 있었지만, 언제 개발이 될 지는 알 수 없다. 어머니는 하루라도 빨리 재개발이 시작돼 이곳을 떠났으면 하는 눈치다. 지금 형편으로는 이사할 수 없으니 강제로라도 이주할 수 있는 계기가 있었으면 하는 것이다. 그러나 어머니도 안다. 재개발이 되고 아파트가 들어서도 우리가 그곳에 입주할 여력이 없다는 것을. 그래서 더더욱 재개발이 시작되기 전 누나가 임용시험에 합격해 대출을 받을 수 있는 자격을 갖추었으면 하는 바람이다.

제법 바람이 차다. 11월의 밤하늘엔 별도 없다. 아니 별은 어디에도 없다. 지상에 별빛이 도달하기에 11월은 아득한 시간이 아닐까. 나는 하늘을 올려다보다 말고 지그시 눈을 감는다. 귀청을 찢을 듯이 줄달음치는 밤차들의 소리가 팽팽하게 밀려온다. 어둠 저편을 현란하게 수놓는 헤드라이트 불빛만이 이따금씩 신동마을을 비출 뿐이다. 나는 뜬금없이 술을 한잔 마시고 싶어진다.

시간은 잘도 흐른다. 또 며칠이 그렇게 미끄러지듯 흘러간다. 그래 어서어서 시간이 가서 입대를 했으면 좋겠다. 나는 포장마차 식탁을 닦으며 혼잣말을 한다. 진열장에는 여러 안줏감들이 가지런히 진열되어 있다. 오전 나절에 어머니를 따라 직접 시장에 나가 사 온 것들이다. 어머니는 그날그날 안주로 쓸 해산물들을 시장에 나가 직접 떼 온다. 카바이드 불빛이 진열장 위로 쏟아진다. 곰

장어, 꼬막, 홍합, 닭발, 닭똥집, 어묵, 굴 등 다양한 안주 재료가 가지런히 정리돼 있다. 닭발과 곰장어의 붉은빛이 유독 도드라져 보인다. 불과 몇 시간 전만 해도 살아 꿈틀거렸을 생명들이 속살을 드러낸 채 펼쳐져 있다. 모든 생명의 벗겨진 몸은 그렇듯 비루한가 보다. 얼핏 아버지의 짓무른 몸이 스쳐 지나간다. 나는 애써 환시처럼 떠오르는 장면들을 지워 버린다. 어머니는 진열장 안을 몇 번이고 닦고 정리를 한다.

오늘따라 유난히 손님이 없다. 보통 때 같으면 적어도 대여섯 명은 들고 났을 텐데 말이다.

나는 부지런히 연탄불을 살리려 애를 쓴다. 번개탄에 불을 붙이고는 부채로 연신 휘젓는다. 날씨가 조금 흐린 탓인지 오늘은 생각만큼 불이 잘 붙지 않는다. 연기 때문에 눈물과 콧물이 뒤범벅된다.

"날씨가 그래서 그런가 오늘은 불이 잘 안 붙네. 이런 적이 별로 없는데."

나는 날씨 탓을 하며 연신 부채질을 한다. 포장마차 일을 도와준 지 얼마 안 됐지만 연탄에 불을 붙이는 게 가장 힘들다. 이제 그만 가스로 바꿨으면 싶은데 어머니는 요지부동이다.

"넌 불 하나 못 살리니? 요령껏 해야지. 그렇게 막무가내로 한다고 해서 불이 붙는 것 아니야."

매운 연기에 어머니의 눈에 눈물이 고인다. 매워서 눈물이 나는 것이지만 어머니는 서둘러 눈물을 닦는다. 내 앞에서 되도록 눈물을 보이지 않는 것이다. 어머니의 손길이 닿자 거짓말처럼 연탄불이 살아난다.

아직 어머니는 개시를 못 하고 있다. 습관처럼 무거운 수심이 드리워진다. 어머니의 얼굴이 그나마 밝은 순간은 첫 손님이 들어왔을 때다. 그날 처음 맞는 손님이 어떠한지에 따라 그날 하루 매상이 달라진다. 사람이 하는 일이라 사람의 기운을 받는 것 같다. 일곱 시를 넘어서야 손님들이 들 것 같다. 밤교대를 하는 업체들이 몇 군데 있어 저녁 근무가 바뀌는 시간에라야 손님들을 볼 수 있다. 공단에는 아이스크림이나 빙과를 만드는 제과 공장과 동동주를 만드는 술 공장, 옥수수 기름으로 엿을 만드는 공장 등 식료품 업체들이 밀집해 있다. 일곱 시가 넘은 뒤로는 교대하고 나온 사람들이 곧잘 출출한 배를 채우거나 술 한 잔을 하기 위해 들른다. 더러 가슴팍에 회사 로고와 이름이 부착된 유니폼을 입은 아가씨들이 서너 명씩 찾아와 상추튀김을 먹기도 한다.

"아주머니 저 왔어요. 오늘도 제가 첫 손님이에요?"

미순이라는 아가씨가 피곤한 얼굴로 들어선다. 배가 고픈 것인지 몸이 아픈 것인지 표정이 여전히 어둡다.

"응 어서 와. 오늘은 술은 그만 먹고 요깃거리라도 좀 먹을 거니? 좀 그래라."

어머니는 걱정하듯 말한다.

"하던 대로 안 하면 몸에 병나요. 그냥 오늘도 소주로 시작할게요. 여기서 한잔 마시고 들어가야 잠이 잘 온다구요."

그녀는 자신이 직접 진열대 위에서 소주를 꺼내 병뚜껑을 돌린다. 손끝이 제법 야무지다. 고등학교를 졸업하자마자 직장 생활을 시작한 그녀는 세상 물정을 다 아는 눈치다.

"웬 술을 그렇게 물 마시듯 후루룩 마시니? 그만 마시고 오늘은 홍합탕을 좀 먹으렴. 미순아 그렇게 마시다 속 버린다. 속 버려."

"이 정도 가지고요 뭘요. 한 사나흘 쉬었더니 몸에서 그 남자 냄새가 쫙 빠져나가는 것 같아요. 별것도 아닌 자식이, 저 아니면 내가 남자 하나 없을 줄 알고."

그녀는 가볍게 웃는다. 웃는 표정이 모가지가 꺾인 들

꽃처럼 쓸쓸하다. 여자는 닭발을 질겅질겅 씹어 먹는다. 이빨을 드러내지 않고 굳게 다문 채로 씹어 넘긴다. 앞머리카락이 주렴처럼 미세하게 흔들린다. 보아하니 그녀는 실연을 당한 것 같다. 변심한 남자 때문에 속이 상한 모양이다.

나는 그녀가 불편해할까 봐 잠시 밖으로 나온다. 어머니의 눈짓이 있어서기도 했지만 그녀의 하루하루가 무겁게 느껴져 이편까지 마음이 아파온다.

"그 자식이 애를 떼라는 거예요. 그래야 만나 줄 수 있다고… 그래서 별수 있겠어요? 내가 사랑하니까 그 말대로 한 거죠. 그랬더니 그날 이후로는 저를 만나 주지 않는 거예요. 전화를 해도 안 받고 아예 전화기를 꺼 놓았더라구요. 그러더니 오늘은 이런 문자가 왔더라구요. 집에서도 반대를 해서 도저히 어떻게 할 수 없다. 그동안 만남을 좋은 추억으로 간직할 테니 좋은 남자 만나라는 거예요. 나 원 참."

미순의 흐느낌이 밖으로 새어 나왔다. 훌쩍거리는 중에도 무슨 말인가를 중얼거리는 데 알아들을 수 없었다.

"미순아 그놈 연락처 줄 수 있겠니? 이런 놈들은 그냥 가만둬선 안 돼. 지 좋아서 만날 때는 언제고 이제 와 헤어지자고?"

"아니에요. 저도 이제 미련 없어요. 제가 바보였지요."

밤늦게 비가 내릴 것 같다. 하늘은 무겁고 습한 빗방울 입자를 머금고 있다. 안개비가 내렸으면 좋겠다. 매캐한 연탄 연기 같은 안개가 차라리 장막처럼 포장마차 주위를 둘렀으면 싶다. 그래서 도처의 비릿하고 진부한 풍경들을 슬며시 쓸어 주었으면 좋겠다.

차들은 쉴 새 없이 질주한다. 잎을 떨군 가로수들의 윙윙거리는 소리와 가끔씩 신경질적으로 울려 대는 클랙슨 소리가 포장마차 안으로 스며든다. 도로가 휘어지는 지점이라 차들이 핸들을 꺾을 때면 헤드라이트 불빛이 포물선을 그리듯 포장마차를 포위하는 것 같다. 흡사 만화영화에 나오는, 정체불명의 우주인들이 푸른 빔을 쏘아대는 것처럼 불빛은 서늘하게 파고든다. 행인들이 밤하늘을 향해 바락바락 악을 쓰는 소리도 들린다. 도로를 횡단하다 비명횡사하는 고양이들의 비명 소리도 들릴 때가 있다. 세상의 모든 소리는 어느 유폐된 곳에 묶여 있다가 밤이 되면 터진 풍선에서 쏟아져 나오는 바람처럼 존재를 드러내는 것인지 모른다. 연탄불 위에서 고기가 지글 지글 구워지고 있는 순간, 도로를 건너다 차에 치이는 짐승들의 순간적인 비명을 듣게 될 때면 온몸에 소름이 돋는다. 다음 날 시장을 보고 와서 마주치는 짐승의 사체는 참혹하다. 뼈는 바스라지고 살점은 흔적 없이 사라진 데다 내장은 시커먼 바닥에 엉겨 붙은 모습은 삶과 죽음 사이에는 저토록 잔인한 그림자만 남게 된다는 사실을 보여 줄 뿐이다.

별이 빛나는 밤에 당신은 무슨 생각을 하고 있나요. 혹여 어디론가 떠나고 싶은 마음이 들지는 않는지요. 별이 빛나는 밤에는 누군가를 만나 가슴속에 담아 두었던 이야기를 나누고 싶은 날이 있지요. 분위기 좋은 카페에 앉아 밤을 새워 잃어버린 꿈과 그럼에도 포기할 수 없는 내일을 이야기하다 보면 어느새 또 새 힘이 솟아날 거예요. 「가지 않는 길」이라는 시처럼 우리 인생은 늘 가 보지 못한 길과 꿈에 대한 안타까움이 드리워져 있으니까요.

누나의 방에서 흘러나오는 소리다. 누나는 공부를 하다가 지치면 유튜브 방송을 듣는다. 〈밤을 잃은 그대에게〉는 주로 야간에 일을 하는 이들을 위해 간단한 인문학과 시, 연관되는 음악을 선곡해 틀어 주는 방송이다. 유튜브 방송을 듣는 것은 누나만의 유일한 힐링의 방식이다. 나도 가끔 누나가 듣는 방송을 흘려들을 때가 있다. 그 프로를 듣고 있노라면 나 또한 별이 쏟아지는 은하수를 둥두렷이 떠내려가는 밤배가 된 기분이 들 때가 있다.

그러나 지금 밖은 칠흑이다. 별빛도 없고 달도 뜨지 않았다. 이따금씩 아버지의 가쁜 숨소리와 어머니의 한숨 소리가 건넌방에서 들려온다. 그리고 아무런 소리도 들리지 않는다. 오늘은 평소에 잘 들리던 짐승들의 울음소리와 그리고 바람에 뒤채는 가로수들의 쓸쓸한 소리도 없다. 눅눅하고 이물스러운 냄새만이 부유하듯 떠다닐 뿐이다. 사방은 어둡고 불빛 하나 새어 들지 않는다.

이런 밤이면 나는 술을 마시고 싶어진다. 아주 가끔 어머니가 포장마차 장사가 끝나면 작은 잔에 소주를 따라 마신다. 어머니 또한 밤잠을 잘 이루지 못한다. "술 한 잔 마시고 나면 그나마 잠을 잘 수 있어야." 어머니가 입버릇처럼 하던 말을 나는 이해한다. 아무리 피곤해도 맨 정신으로 잠이 들 수 없는 시간이 있다는 것을 말이다.

나는 슬며시 내 방 책상에서 술을 꺼낸다. 어머니 몰래 답답할 때면 마시곤 했던 술이다. 투명한 컵에 술을 반 정도 따른다. 나는 서서히 술을 들이켠다. 알싸한 알

코올 냄새가 코끝을 거쳐 머릿속으로 퍼진다. 답답했던 가슴이 조금 뚫리는 기분이다. 빈속이었던 터라 조금 어지러운 느낌도 없지 않다. 방은 어둠 속에서 침몰하는 배처럼, 서서히 외로움에 젖어 들고 있다. 비좁고 곧잘 습기가 차는 방이지만 편안하다. 나무 무늬가 흐릿한 오래된 책상과 낡은 스탠드, 아무렇게나 개켜져 있는 옷가지들 그리고 정리되지 않는 몇 권의 책들이 보인다. 내가 살아온 삶을 증명하는 것들이다.

누나는 새벽녘까지 공부를 하는 것 같다. 시험이 얼마 남지 않자 점점 예민해진 것 같다. 얼굴에 미소가 사라진 지 오래였고 말수도 눈에 띄게 줄어들었다. 어머니는 여전히 누나에게 아무런 집안일을 시키지 않는다. 방 청소나 설거지는 어머니가 오후에 짬을 내 하곤 했다. 무엇이건 누나가 공부를 하는 데 조금이라도 방해가 될 것 같은 일은 시키지 않았다.

아버지의 코 고는 소리가 들린다. 아버지는 길고 긴 잠을 잔다. 아니 그렇게 잠을 자는 척하는지 모른다. 아버지의 추락 사고 이후 빚은 조금씩 늘어 가고 있다. 얼마 전에는 어머니가 사기를 당하는 일까지 벌어졌다. 계모임 계주가 도망을 치는 바람에 적잖은 돈을 날려 버렸다. 마지막 순번을 탓기에 어머니는 지금껏 부지런히 돈을 내기만 했을 뿐이었다.

"너희 아버지만 안 다쳤어도…. 그놈의 술이 원수지, 원수."

어머니는 문득문득 혼잣말을 되뇌인다. 어머니는 아버지가 다친 이후 단 한 번도 친구들 모임에 나가질 않았다. 고향 친구 분들은 그런 어머니에게 가끔씩 전화를 해온다. 편리하고 화려한 도시 생활에 익숙한 고향 친구들은 어머니에게 모임의 중요성을 이야기하는 것 같다. 늙어 갈수록, 자식들이 커 갈수록 모임에 자주 나가야 하고 친구가 있어야 하는 말을 자주 한다. 그러나 어머니는 여유가 없다. 어머니는 가장이다. 정말로 뼈저리며 아픈 말이다. 내가 보기에 어머니는 단 한 번도 치장을 하거나 새옷을 사 입은 적이 없다. 사시사철 파마머리에 후줄근한 옷차림이다. 나는 군대를 제대하고 취직을 해서 돈을 번다면 가장 먼저 어머니에게 옷 한 벌을 사 드리고 싶다.

비는 내리지 않고 진눈깨비가 흩날리기 시작한다. 눈송이를 기대했는데 아직 눈이 내리기에는 따스운 날씨다. 하늘에서 수천수만의 콩깍지가 흩어지는 것 같다. 살갗에 닿는 진눈깨비는 눈 깜짝할 사이에 녹아버린다. 나는 마음 한구석이 허전해진다. 진눈깨비는 땅에 닿기도 전에 흔적을 찾을 수 없다. 채 열매를 맺기 전에 낙과되는 과일을 보는 것 같다. 모든 것은 그렇게 결별을 하게 되는 것이다. 나는 언제쯤 이 무정하고 쓸쓸한 시간들과 결별할 수 있을까. 어머니는 또 언제 가장과 생계라는 무거운 짐에서 벗어날 수 있을까. 아니 누나가 시험에 합격하는 그 순간이 올까.

진눈깨비는 풀씨가 바람에 날리듯 가볍게 허공으로 날린다. 마치 그것은 어스름한 밤하늘로 불티가 번지는 모양이다. 아버지의 코 고는 소리가, 아니 세미하게 들려오는 속울음 소리가 오래도록 그치지 않는다.

무배치
간이역

그곳에 대기리역은 없었다. 언덕배기에 곱사등처럼 웅크리고 있던 역사(驛舍)가 흔적 없이 사라져 버린 건 불과 사오 년 안팎이었다. 승객의 급감에 따라 역이 폐지되는 건 자연스러운 일이지만 삼일은 못내 안타까웠다. 복선화 전철 사업과 맞물린 탓에 간이역 폐지는 생각보다 쉽게 결정이 되었다. 대기리역 자리에는 비를 피하기 위한 용도로 지어진 작은 콘크리트 구조물이 자리를 차지하고 있었다. 역사가 헐리었다는 소문을 들었던 것과 막상 그 사실을 눈으로 확인한 것과는 천지 차이의 감정을 불러일으켰다. 삼일은 불과 수년 전만 해도 오가며 보았던 대기리역이 사라지자 가슴 한구석이 텅 빈 것처럼 안타까움이 밀려왔다.

사라진 역사 뒤편으로 저 멀리 익숙한 집들이 눈에 들

어왔다. 사람들이 들고 나던 작은 역이 정말로 이곳에 있었을까. 오래된 집들은 시든 배춧잎처럼 조금도 생기가 없어 보였다. 대부분 빈집이었고, 사람이 살고 있다 해도 고작 한두 집에 불과할 거였다. 삼일은 걷던 걸음을 멈추고 저편의 철로를 바라보았다. 초콜릿빛 선로는 산모퉁이를 휘돌아 먼 곳에까지 이어지고 있었다. 선로는 흡사 하늘로 향하는 미지의 사다리 같다는 생각이 들었다. 겨울이면 그것은 흰 눈 속에 박힌 인두 자국처럼 선명한 빛깔로 반짝이며, 자꾸만 어딘가로 떠나라고 부추기곤 했었다. 그 침목들을 하나씩 하나씩 밟고 가다 보면 어디쯤엔가 미지의 세계로, 하늘 어딘가로 연결되는 통로가 있을 것 같은 생각이 들곤 했었다.

탄광촌이었던 대기리의 흔적은 이제 거의 남아 있지 않았다. 일제시대 지어진 적산가옥 형태의 역사가 헐린 뒤로 이곳은 급격히 쇠락의 길로 들어섰다. 변하지 않는 게 있다면 건널목에 설치된, 장대높이뛰기 바벨 같은 긴 차단기였다. 그것은 푸르딩딩한 이차선의 도로를 절묘하게 분할하고 있었다. 기차가 지나는 시간에 맞춰 자동으로 내려지는 차단기는 노랑과 검정색의 화사한 빛깔로 여전히 행인의 시선을 끌었다.

예전과 비교해 달라진 게 있다면 곳곳에 온천 관련 시설이 들어섰다는 점이었다. 몇 년 전부터 주위에 온천이 개발되기 시작하더니 지금은 곳곳에 온천 모텔과 다양한 식당들이 들어서 있었다. 탄광 폐쇄와 개발 바람이 맞물리면서 대기리에도 돈 냄새가 지천에 풍기기 시작했다. 외지에서 들어온 사람들이 하나둘씩 자리를 잡았고 소문에는 뭉칫돈이 몰린다는 얘기도 심심찮게 들렸다. 온천이 개발된다는 계획이 발표되기에 앞서 이곳은 온통 투기장이 되고 말았다. 돈을 싸고 들어와 웃돈을 얹어 주면서까지 땅 매매계약을 하려는 이들이 눈에 띄었다. 소박했던 마을의 풍경은 오간 데 없이 돈 냄새를 맡고 들어온 외지인과 부동산 업자들이 마치 자신들의 고향이라도 되는 것처럼 뻰질나게 드나들었다.

삼일의 뇌리 속으로 아스라한 기억들이 펼쳐졌다. 아침이면 산머리를 넘지 못한 뿌연 안개가 검버섯처럼 피어오르던 풍경이 떠올랐다. 오래전, 이곳에서 이사를 나왔지만 어린 시절 기억들은 이곳 역과 마을이 대부분을 차지했다. 삼일이 살던 집은 마을에서도 가장 후미진 곳이었다. 아버지가 탄광촌 광부 일을 하면서 정착한 이곳은 정부 보조금으로 지어진 주택단지였다. 광부 가족들을 위해 건립했다고 하지만 오랜 세월이 흐른 탓에 곳곳이 파손되거나 페인트칠이 벗겨지기 일쑤였다. 삼일의 기억 속의 방은 언제나 눅눅하고 어두웠다. 창턱에 걸려 마루에 엎질러진 햇볕은 오전 나절이면 금세 사라지고 한기가 돌기 일쑤였다. 주위에 산이 둘러싸여 있어 장시간 햇볕을 받기가 쉽지 않다.

삼일의 기억 속에 윗목에는 식은 밥을 차린 밥상과 고요한 적막이 짙은 음영으로 덩그러니 놓여 있을 뿐이었다. 삼일은 아무도 없는 빈집이 싫어 하루 종일 동네를 싸돌아다니기도 했다. 삼일이 어렸을 때 어머니는 아버지와 헤어지고 다른 도시로 떠나 버렸다. 아버지는 새벽 일찍 일어나 밥을 차리고 탄광 일을 하러 출근했다. 혼자 남겨진 삼일은 늘 느지막이 일어나 대강 밥을 먹고 학교에 가곤 했다. 그러면서 드는 생각이 이곳에서 벗어날 수만 있다면, 언젠가는 이곳을 떠나리라 숱하게 마음을 먹었다.

초등학교를 졸업하고 읍내 가까운 곳으로 중학교를 진학하면서는 기차를 타고 통학을 한다는 사실이 그나마 위안이 되었다. 학교까지는 얼추 10여 분 남짓한 거리였지만 이곳을 잠시라도 떠날 수 있다는 생각은 삼일에게 적잖은 위안을 주었다. 더러 기차를 놓쳐 집으로 걸어올 때도 있었지만, 삼일은 그렇게 먼 거리라고 생각하지 않았다. 다행히 중학교 2학년 때부터는 역에서 조금 가까운 큰아버지네 집에서 통학을 하게 되었다. 큰아버지 집이 있는 마을은 탄광 마을보다 그나마 가구 수도 많고 편의시설이 많은 편이었다.

시골 간이역을 돌아다니며 다리품을 판 지가 얼추 2년이라는 시간이 흘렀다. 삼일이 잡지사에 입사해 의욕적으로 시작한 기획물이 바로 '간이역 시리즈'였다. 잊혀진 오래된 역을 방문해 그곳의 역사와 풍경 등을 소개하는 기획물이었다. 지금까지 삼일이 연재했던 간이역만 해도 십여 곳이 넘었다. 예전엔 나룻배가 선창에까지 들어왔다던, 지금도 허공에 들린 발을 타고 비린내가 묻어나는 K역과 광막한 들녘이 있어 쌀 수송의 중추를 담당했던 내륙의 작은 H역, 그리고 몇십 년 전만 해도 거지들이 많이 모여 천사촌이란 마을이 있었다던 J역 등이 특히 기억에 남았다. 삼일은 그렇게 급속히 사라져 가는 간이역을 찾아다니며 그 속에 담긴 역사와 풍경을 기록했다.

그렇게 퇴각하는 달팽이처럼 느린 걸음을 내딛으며 전국의 역을 돌았다. 잊혀가는 간이역을 순례하는 동안 삼일은 의식적으로 대기리역을 떠올리지 않으려 했다. 기억 저편에 드리워진 우중충한 마을의 풍경과 어린 시절의 쓸쓸했던 일상을 마주하고 싶지 않았다. 그때의 시간을 현재로 끌어당기는 어리석은 결정을 하고 싶지 않았다. 그러나 삼일의 마음속에 언젠가는 대기리역에도 가겠지라는 생각이 설핏 자리하고 있었다. 예상이 실제가 되는 순간은 생각보다 빨리 다가왔다. 매달 매달 아이템이 소진되다 보니 다음 달에 나갈 간이역이 마땅히 떠오르지 않았다. 기사 마감이 아직은 촉박하지 않았지만 취재 대상을 정하지 못한 상태에서는 금방 시간이 흘러갈 게 뻔했다. 취재부장은 표가 나게 뭘 지시하고 말고 하는 타입이 아니었다. 믿고 맡기는 타입이라 일단 소재가 정해지면 어떻게 그것을 처리하는지 나중에 기사로만 확인할 뿐이었다. 뭐라고 할까. 짧은 시간 냄새만 맡게 하고는 숨겨 놓은 고깃덩어리를 찾아오도록 훈련을 시키는 개 조련사를 닮았다.

생각보다 대기리역 방문은 빠르게 다가왔다. 살다 보면 미루어 놓았던 숙제를 벼락치기 하듯 해야 하는 순간이 오는 것처럼 대기리역에 대한 취재도 그랬다. 바로 얼마 전 뉴스에서 봤던 아는 형의 죽음이 그런 결정을 앞당

기게 했다. 조상호. 삼일의 기억에 아스라이 남아 있는 조상호. 자신보다 대여섯 살 많았던 상호는 보통의 사람들과 다른 조금 지능이 떨어지는 사람이었다. 모자란 구석은 있었지만 일상생활을 하는 데 지장이 있는 정도는 아니었다. 얼마 전 지역 방송에서 40대 남자가 간이역 인근에서 기차에 치여 사망했다는 뉴스가 보도된 적이 있다.

지난 15일 오후 8시께 D 간이역에서 상행선 방향 500여 미터 지점에서 40대 남성 조 모씨가 무궁화호 열차에 치어 숨지는 사건이 발생했습니다. 경찰에 따르면 40대 남성은 철로를 무단으로 건너려다 발부리가 레일에 걸려 넘어졌고 얼마 후 이곳을 통과하는 기차에 치인 것으로 보고 있습니다. 조사 결과 일정한 주거지가 없는 이 남성은 오래전 이곳 대기마을에서 살았던 것으로 밝혀졌으며 사라져 버린 마을을 방문하려다 이 같은 변을 당한 것으로 추정하고 있습니다. 또한 얼마 전까지 정신 보호시설에 입소해 생활했던 것으로 알려져 입소자 관리에 문제가 있었던 것으로 보입니다.

삼일은 조 모씨가 상호 형이라는 사실을 금방 알 수 있었다. 정말로 오랜만에 듣는 이름이었다. 삼일은 사고의 순간이 연상돼 머릿속이 깨질 듯이 아팠다. 삶과 죽음이 갈리는 일촉즉발의 순간에 상호 형은 어떤 생각을 했을까. 한순간 바다가 갈라지는 것만큼이나 순간적인 두려움이 밀려왔을 것이다. 채 눈을 감지 못하고 머나먼 허공을 주시하고 있었을 상호 형의 눈빛이 그려졌다. 검붉은 선로에 엉긴 핏자국은 오래도록 지워지지 않을 거였다. 상호 형의 소지품에는 조그만 역사 그림이 인쇄된 팸플릿이 들어 있었다고 했다. 공교롭게도 그 역사는 지금은 없어진 예전의 대기리 모습이었다. 철도청에서 매년 이맘때면 발행하는『가을철 가 볼 만한 간이역』이라는 소책자에 대기리역이 실려 있었다. 대기리역 인근은 풍경도 아름답고 유서 깊은 문화재가 많아 타 지역 사람들이 많이 찾는 여행지이기도 했다.

사망 뉴스는 삼일에게 예전의 시간을 고스란히 떠올리게 했다. 그날 저녁 뉴스를 봤던지 사촌 누나에게서 전화가 걸려 왔다.

"삼일아 너 뉴스 봤니? 조상호 말이야. 조상호."

"응 봤어. 나도 깜짝 놀랐어. 상호 형이 기차 사고를 당했다니."

"그 사람 그때도 정신이 조금 온전치 못했는데, 기어

이….”

“그동안 통 상호 형에 대한 소식은 듣지 못했는데.”

삼일의 말에 사촌 누나도 세상에 이런 일도 있다는 반응을 보였다. 다른 누구보다 사촌 누나에게는 충격적이었을 것이다. 사촌 누나는 한때 이곳 대기리 간이역장으로 근무했다. 사고 지점은 매일 누나가 오가는 길이라 눈을 감고도 어디인지 알 수 있을 거였다. 누나가 근무하는 동안 몇 번의 사고가 있었지만 사람이 죽은 경우는 없었다.

당시 대기리역장은 명예직에 가까운 직함이었다. 역무원이라고 해 봐야 고작 누나 혼자뿐인데다 기차가 하루에 서너 차례 정차할 뿐이어서 시간에 얽매이지는 않았다. 요즘 말로 하면 탄력적으로 근무할 수 있다는 장점이 있었다.

누나는 가지런한 콧날과 아담한 눈썹이 인상적이었다. 조선시대 여인의 초상화와 비슷한 이미지의 얼굴이었다. 그 시절은 국가에서 간이역에 대한 관리 용역을 일반인에게 맡기던 무렵이었다. 대개의 경우 읍이나 면에 거주하는 지역 유지들이 맡곤 했다. 급격히 세가 위축되어 버린 역을 무배치 간이역으로 전환하려는 즈음에 택하는 방식이기도 했다. 대기리역도 그와 같은 경우였다. 처음엔 큰아버지가 맡아 관리했는데 건강이 나빠진 뒤로는 사촌 누나가 대신했다. 고등학교를 졸업하자마자 그 일을 물려받았는데 사흘이 멀다 하고 지역신문이나 방송에서 취재를 나오곤 했다. 시집도 안 간 처녀가 시골의 역장을 한다는 사실이 흥미로운 기삿거리였던 모양이다. 사촌 누나가 역장이 된 지 채 두 달이 안 돼 큰아버지는 이승이라는 간이역을 떠나고 말았다. 평생 기차의 기적 소리와 함께했건만 정작 당신은 KTX 열차 한 번 타 보지 못하고 서둘러 저편의 세상으로 떠나 버렸다.

누나는 새벽 첫차부터 저녁 막차까지 단 하루도 빠짐없이 이곳에 나와 표를 끊고 역을 관리했다. 말이 역장이지 한편으로 그것은 창살 없는 감옥살이나 다름없었다. 작은 대합실이 딸린 역사는 먼 곳에서 보면 한 폭의 수채화로 보일 만큼 아담했다. 시간에 묶이는 것만 제외한다면 이곳에서의 일과는 지극히 단순했다. 그러나 삼일은 사촌 누나를 보면서 이 세상에 가장 무서운 덫은 시간이라는 악마일 거라고 생각을 했다. 일은 많은 것 같지 않았지만 대기리역장을 맡은 이후 누나는 단 한 번도 자유로운 적이 없었다. 20대의 여자가 간이역 역장이라는 자리를 떠맡기엔 다소 무모한 면이 없지 않았다. 산골역장이라던가, 섬의 등대지기라던가, 오지의 통신사와 같은 일은 외로움에 대한 내성이 강해야 가능했다. 자칫 감상에 빠지다 보면 열차가 철로를 이탈하는 사고만큼 무서운 결과로 이어질 수 있었다.

해가 지는 시간 잿빛의 역사는 등나무 줄기의 그것처럼 기다란 그림자를 드리웠다. 먼 곳에서 바라보면 그림자가 꿈을 꾸듯 어둠 속으로 물들어 가는 것처럼 보였다. 밤이면 가시처럼 돋아나는 밤 별들의 군무를 보는 것도 나쁘지 않았다. 측백나무 사이로 드러누운 초콜릿빛의 철로를 바라보노라면 괜스레 가슴이 뭉클해지기도 했다.

역사와 그 주변의 풍광은 한 폭의 그림이었지만 반대편에 펼쳐진 탄광촌에는 남루의 그림자가 비쳤다. 갓 데친 푸성귀처럼 추레한 삶의 흔적들, 방천을 따라 이어진 잡목들의 행렬, 들판을 기웃거리는 발정 난 개들의 무리가 탄광 마을을 대변했다. 궁벽의 그림자는 쉽사리 지워지지 않았고 시간이 지날수록 더 짙게 드리워졌다.

사촌 누나가 역장을 맡은 무렵은 활황이던 탄광 산업이 점차 내리막길을 걷고 있던 즈음이었다. 연탄의 소비가 줄어들고 석탄 산업이 불황을 맞게 되자 대기리역도 예전의 운송 중심의 역의 명성을 잃어버렸다. 마을에도 보일러를 놓는 집들이 하나둘씩 늘어나고, 기름을 때기 시작하더니 급기야는 연탄을 쓰는 집은 손가락에 꼽을 정도였다. 연탄은 식당이나 역 같은 몇몇 군데를 제외하고는 슬그머니 자취를 감추기 시작했다. 채 일 년이 안 돼 대기리역은 간이역으로 격하되고 말았다.

그때부터였을 것이다. 어둠이 내리면 탄광을 떠나지 못한 몇몇의 사내들이 약속이나 한 듯 철길 앞 주막으로 모여들었고 그들은 밤늦도록 술을 마셨다. 그리고는 술기운에 고단한 현실을 애달프고 슬픈 노래에 실어 흘려보내곤 했다. 아무것도 아닌 일에 시비를 걸고 멱살을 잡고 주먹다짐을 하는 이들도 있었다. 두 다리를 곧추세우고 방천길 아무 곳에나 오줌발을 밀어내며 고함을 지르는 사내들도 있었다. 맨정신일 땐 그처럼 수더분하고 말이 없던 사람들도 취하고 나면 사소한 일에도 핏대를 세웠다. 잔뜩 힘이 들어간 눈은 어둠 속 잉걸에 번쩍이는 짐승의 눈만큼이나 붉게 타올랐다. 어느 곳에도 떠날 수 없는 사람들의, 어찌할 수 없는 몸부림으로 치부하기엔 그것은 너무도 씁쓸하고도 비루한 모습이었다.

역 인근에 자리한 대기리 슈퍼에 새 주인이 온 것은 일부 탄광이 폐광되던 무렵이었다. 걸어서 20여 분 거리에 자리한 슈퍼는 돈이 도는 유일한 유통업체였다. 떠날 사람은 떠나고 모두 떠나 버린 그 을씨년스러운 겨울의 풍경을 삼일은 잊을 수 없다. 대처에서 식당을 운영했다는 오십 대 중반의 아주머니가 아들을 데리고 나타났다. 마을 입구의 대기리 슈퍼를 인수해 이사를 온 것이다. 오랫동안 비어 있는 슈퍼에 새 주인이 나타나자 예전과는 다른 활기가 돌았다. 슈퍼는 간이역과 대기리 마을, 이웃한 대리마을 중간에 위치해 있다. 어느 쪽으로 가든 슈퍼 인근을 지나야 해서 마을 사람들은 이곳을 통로라고 불렀다.

상호는 그 대기리 슈퍼 아주머니의 아들이었다. 30대 후반으로 보이는 상호는 조금 말을 더듬었다. 외관으로는 멀쩡했지만 정신이 온전치 못하다는 소문이 있었다. 두 눈엔 실핏줄이 드리워져 있었고 가끔씩 귀밑이 찢어질 만큼 하품을 했다. 이유 없이 비실비실 웃을 때면 뭔가 제정신이 아닌 것처럼 보였지만, 어느 때는 뭔가 다른 의미를 담고 웃음을 흘리고 있다는 느낌도 들었다. 원체 사람들과 섞이기를 원치 않아 그는 늘 혼자였다.

그럼에도 가끔 삼일이에게는 다정하게 말을 건넬 때가 있었다.

"삼일아, 오늘도 학교 갔다 오니? 기차 타고 가면 재미있어?"

언덕배기에서 마주칠 때면 그는 삼일이에게 아는 체를 했다. 삼일은 그가 무섭기도 하고 신기하기도 했지만 자신에게만큼은 다정하게 대한다는 사실을 알고는 볼 때마다 형이라고 부르며 인사를 건넸다.

"네. 상호 형. 기차 타고 학교 갔다 오는 길이 심심하지 않아서 좋아요."

"…누나는 뭘 좋아하냐?"

그는 가끔 생뚱맞은 질문을 했다. 누나보다 족히 열 살은 더 나이가 많은 데다, 뭔가 모자란 구석이 있는 사람이 그런 말을 하니까 조금 꺼려졌다.

"우리 사촌 누나는 아무것도 안 좋아해요. 그런데 싫어하는 것은 있어요. 밤에 우는 고양이 소리를 제일 싫어해요. 아니 엄청 무서워한다니까요."

삼일이는 장난치듯 상호 형에게 말했다. 그러면 상호 형은 알 듯 모를 듯 어색한 웃음을 흘렸다. 상호 형은 거의 매일 개울가에서 낚시하는 것을 좋아했다. 기차가 지나는 대기리 다리 아래쪽으로 물가에 면한 언덕배기가 있었다. 그곳은 그가 대기리마을에서 가장 좋아하는 공간이었다. 기차가 지날 때마다 잔물결이 일렁이고, 무시로 햇볕이 맑은 물에 들이쳐 아름다운 무늬를 만든다. 상호는 챙이 넓은 모자를 뒤집어쓰고 낚시를 즐겼고 어느 날은 늦은 밤에까지도 낚시를 드리우기도 했다. 가끔씩 낚싯대를 개울가에 드리우고 우두커니 앉아 있는 그의 모습을 볼 때가 있다. 어떤 귀기가 어려 있는 듯한 느낌을 받곤 했는데, 삼일은 그의 모든 행위들이 일부러 연출을 하는 것은 아닌가 착각이 들 때가 있었다.

그가 이따금씩 설핏 풀어놓는 웃음에는 무언가 모를 공허가 스며 있어 서늘한 기운마저 들었다. 삼일은 그의 깊고 우울한 눈빛이 싫었다. 그것은 이따금씩 술을 마신 아버지의 눈에서 보이던 느낌과 닮아 있었다. 거품처럼 피어올라 한순간에 펑 하고 터져 버릴지도 모른다는 두려움이 일었다. 그는 아버지가 누구인지도 모르는 사생아라는 말도 들렸다.

사건은 그 무렵 일어났다. 한겨울 발목이 풀린 바람은 쉴 새 없이 유리창을 때렸다. 낮과 달리 밤이 되면 산에 에워싸인 마을은 깊은 적막감에 휩싸였다. 삼일은 초등학교 마지막 겨울방학이 시작된 날이라 그날을 정확하게 기억했다. 산골은 여느 지역과 달리 빨리 눈이 내렸고 한

번 눈이 내렸다 하면 가늠할 수 없을 만큼 퍼부어 댔다. 대합실에서 보이는 밖의 풍경은 새하얀 깃털을 장식해 놓은 것처럼 풍성하고 완만한 곡선을 이루었다. 빈 나뭇가지 사이로 차곡차곡 피어나는 눈꽃은 온 세상을 하얗게 덮어 버릴 만큼 아름다웠다. 산모퉁이를 따라 활처럼 휘어진 선로, 그 위로 흩날리는 눈발은 흡사 한 폭의 동양화를 연상케 했다. 그곳에 한 방울의 잉크를 떨어뜨린다면 세상은 연보라빛 파스텔 톤으로 물들 것 같았다. 겨울 풍경을 헤치고 열차는 역내로 진입해 들어왔다 빠르게 사라졌다.

상호 형은 겨울 낚시를 나왔다가 눈 때문에 더 이상 하지 못하고 철수를 하는 것 같았다. 추위 때문에 입술이 파랬다. 대합실 유리창 밖으로 그는 웃을 듯 말 듯 희미한 미소를 지었다. 그리고는 대합실 안을 흘끔거리듯 보더니 서둘러 사라졌다. 삼일은 마지막 열차가 대기리역을 지나는 시간까지 대합실에서 누나를 기다렸다. 마지막 열차의 통표를 건네주는 일이 누나의 마지막 임무였다. 그러나 그날은 밤늦게 임시 열차가 이곳을 통과하기로 돼 있어 자정 무렵까지 역에 있어야 했다. 일 년에 한두 번 있을까 말까 한 경우였다. 누나의 근무가 끝나는 때를 기다려 함께 퇴근을 했던 터라 삼일도 별수 없이 그곳에 있어야 했다. 그렇잖아도 큰아버지가 꼭 누나의 일이 끝나는 때에 맞춰 함께 집에 오라고 신신당부를 했었다.

자정 무렵까지 기다리기는 너무 지루했다. 날씨도 춥고 출출해 야식을 먹고 싶다는 생각이 들었다. 삼일은 누나에게 슈퍼에 가서 뭣 좀 먹고 오자고 했다. 라면이나 막국수 생각이 났다. 누나가 그러자며 일어섰다. 눈이 내려서인지 다른 날과 달리 슈퍼는 조용했다. 겨울이면 어둠이 금방 내리듯 배 속의 허기 또한 빨리 찾아왔다.

시골 슈퍼의 풍경은 작은 선술집과 다르지 않았다. 간판은 슈퍼였지만 차라리 선술집에 가까웠다. 상호 형의 어머니가 슈퍼를 인수한 뒤로 부쩍 동네는 활기가 돌았다. 마땅한 일거리가 없이 소일하던 몇몇 사람들은 슈퍼에 들러 술잔을 돌렸다. 하루 일과를 끝내고 퇴근하던 사람들도 습관처럼 들러 술을 마셨다. 듬성듬성 썬 돼지고기를 넣은 김치찌개를 안주 삼아 목구멍에 걸린 탄재를 씻어 내는 것이었다. 겨울이 시작되면서 슈퍼에 인근 남자들의 출입이 부쩍 늘었다는 소문이 돌았다. 어떤 아저씨들은 외상 장부를 만들어 놓고 하루가 멀다 하고 들르는 모양이었다. 읍내에서 식당을 했다는 아주머니가 슈퍼를 인수했다는 소문을 듣고 호기심에 들르는 이들도 적지 않은 눈치였다. 술만 파는 것이 아니라네. 더러 열차를 오르내리는 사람들 입에서 거친 말들이 흘러나오기도 했다.

삼일은 더러 사촌 누나가 주는 돈으로 과자를 사기 위해 슈퍼에 들르기도 했다. 어느 땐 슈퍼 문이 안쪽으로 잠겨 있기도 했다. 한참을 밖에 서서 기다리다 보면 나중에 문이 열리고 꽤 얼굴이 익숙한 동네 아저씨가 무안한 낯빛으로 나오는 모습을 보는 때도 있었다. 폐쇄된 막장의 야간 경비를 하는 동네 어느 아저씨는 돈이 생기면 슈퍼에 들러 술을 마셨다. 굴삭기를 비롯한 채취 기계와 야적된 석탄을 방치해 두고 그렇게 술을 마시는 거였다.

가게 안에는 아무도 없었다. 벌건 연탄불 위엔 밑둥이 무거운 주전자가 올려져 있었다. 사촌 누나와 나는 난로 곁으로 바짝 의자를 당겨 앉았다. 주전자 주둥이로 새하얀 면발 같은 수증기가 줄곧 흘러나왔다. 난로 주위론 멸치젓을 담는 커다란 통을 개조해 만든 배불뚝이 깡통이 놓여 있고 그곳엔 대여섯 장의 연탄이 다음 차례를 대기하고 있었다.

"계세요. 안에 누구 없어요."

안에서는 아무런 인기척이 없었다.

"누나 그냥 가게요. 오늘은 장사를 안 하나 봐. 아주머니도 없네."

"응. 다음에 와야겠다. 장사를 안 하려면 슈퍼 문을 닫든가 해야지."

자리에서 일어나 나가려는데 안쪽에서 인기척이 들렸다. 슈퍼 아주머니는 별로 달갑지 않은 표정이었다. 잠을 자다 깨었는지 하품을 하고는 방문을 내려왔다. 막차가 지나고 나자 문을 닫을 요량이었는데 깜빡 잠이 들었다고 혼잣말처럼 했다. 어둠 저편에는 이불 아래로 희부윰한 형체가 꿈틀거렸다.

"오늘은 장사를 안 하는데…. 그런데 특별히 삼일이가 왔으니까 국수 하나 말아 줄게."

"감사해요. 사람들이 아주머니가 말아 준 국수가 제일 맛있다고 하던데요."

"그래? 칭찬을 들으니 기분이 좋네. 삼일이가 우리 상호한테 살갑게 대해 준다고 들었어."

"동네 아는 형이니까 당연히 인사를 하는 건데. 근데 조금 전에 상호 형을 봤는데 아직 안 들어왔나요?"

"날밤이 없는 애야 우리 상호는. 뭐든 저 하고 싶은 대로 하게끔 놔둬야지 그렇지 않으면 일을 내거든."

무슨 일을 내는지 물으려다 삼일은 입을 다물었다. 사촌 누나는 그저 듣기만 했다. 역에 근무하다 보면 여러 말을 듣기 때문에 다른 사람들 말에는 조심하는 것 같았다. 조금 무뚝뚝한 성격 탓도 있지만 누나는 다른 사람 일에는 부러 관심을 두지 않았다. 언젠가는 간이역 일을 그만두고 도시로 나가, 모던하면서도 담박한 삶을 사는 게 누나의 바람이었다. 그때까지는 돈을 모아야 했다. 다른 무엇보다 큰아버지는 아직은 도시로 누나를 내보낼 때가 아니라고 생각하는 것 같았다.

아주머니가 설렁설렁 말아 준 국수를 먹고 삼일과 사촌 누나는 슈퍼를 나왔다. 어둠이 내린 시골길은 허연 뼈처럼 도드라져 보였다. 눈이 내려서인지 다른 날에 비해 그렇게 어둡다는 생각은 들지 않았다.

이야옹— 이야옹—

문을 열고 밖으로 나오는데 기다렸다는 듯이 대여섯 마리의 고양이가 줄행랑을 쳤다. 아니 그보다 더 수가 많을 듯했다. 파란 인광이 주위를 섬뜩하게 물들였다. 놀란 누나는 내 팔을 붙들더니 외마디 신음 소리를 질렀다. 아릿한 통증이 팔뚝을 파고들었다. 누나는 고양이를 무서워했다. 저녁에 일을 끝내거나, 새벽에 출근을 할 때 길거리에서 고양이와 마주칠 때는 질겁을 했다. 외따로이 떨어져 있는 간이역에서 근무하다 보니 야생의 동물이 무섭다고 했다. 비가 오는 날이나 눈이 쏟아지는 날 마주치는 고양이는 정말이지 두려운 존재라고 했다.

"나비야– 나비야–"

창밖을 통해 슈퍼 아주머니가 고양이를 불렀다. 고양이들은 아주머니의 목소리를 알아들었는지 발걸음을 돌려 그녀 쪽으로 달려갔다. 녀석들은 단번에 주인을 알아보는 것 같았다. 그런데 뭔가 역 저편에서 밝은 빛이 무리 지어 피어오르는 게 보였다. 열차가 도착했을까? 그건 아닐 테고 삼일은 어둠 저편을 가리키며 누나에게 말했다.

"누나 역 쪽이 평소와 다르게 환하네요. 열차가 벌써 온 걸까?"

"아니야. 아직 들어오려면 멀었어. 근데 저게 정말 뭐지?"

저편으로 보이는 역사의 불빛은 따스했다. 산산조각 난 파편 같은 불빛이 따사로운 느낌을 전달해 줄 수 있다는 사실이 이채로웠다. 그러나 파편은 이내 무리 지어 하나로 엉기는 것처럼 보였다. 불이었다. 역사에서 멀찍이 떨어진 개울가에서 번져 나오고 있었다. 누군가 불을 지피고 있는 것 같았다. 이 시간에 누가 저기에 있을까. 한겨울 철교 아래로 흐르는 냇가 인근에서 불을 피우고 있는 사람은 도대체 제정신일까 싶었다. 그곳은 무서워서 평소에도 잘 가지 않는 곳이었다. 예전에 누군가 철교를 호기롭게 건너다 멀리서 기차가 오는 모습을 보고 급하게 아래로 뛰어내렸다가 그만 세상을 떠나 버린 일이 있었다. 삼일은 그 후로 냇가 인근을 지날 때면 살려 달라는 누군가의 소리가 들려오는 듯한 환청을 느끼곤 했다. 개울에 놓인 다리를 건널 때면 그 현상은 더욱 심해졌다. 어느 땐 자신의 발자국 소리가 흐르는 물소리에 묻혀 이상한 공명으로 들려오기도 했다. 갑자기 무서운 생각이 들어 달리기를 하게 되는 지점도 다리 부근부터였다.

이야옹- 이야옹-

얼어붙은 냇가 저편에서 기분 나쁜 나비의 울음소리가 들렸다. 그리고 무엇인가 버둥거리는 듯한, 사뭇 깊은 속울음을 다독이는 듯한 소리가 정밀하게 밀려왔다. 삼일과 사촌 누나는 서둘러 역사를 향해 걸었다. 냇가 언저리에서 피어올랐던 불은 어느새 잦아들었다. 혹여 상호 형이 아니었을까. 그러나 지금 이 시간까지 그 형에 그곳에 있을 리 없었다. 아니면 마을 사람 누군가가 무슨 일이 있어 그곳에 있는지 몰랐다.

대합실은 약간의 훈기가 남아 있었다. 삼일은 어서 빨리 마지막 기차가 지나가기를 기다렸다. 사촌 누나는 사무실에 들어가 필요한 서류를 정리했다. 가뭄에 콩 나듯 한다는 말처럼 어쩌다 있는 이런 날은 생각보다 시간이 더디게 갔다. 삼일은 멍하니 창밖을 바라보며 언제쯤 이곳을 벗어날 수 있을까 생각했다. 사촌 누나의 바람처럼 자신 또한 이곳을 떠나 도시로 나가 폼 나게 사는 게 꿈이었다. 이곳의 잿빛의 우중충한 풍경을 하루라도 빨리 벗어나고 싶었다.

조금씩 하늘에서 눈발이 흩날렸다. 눈은 점점 쏟아져 내렸다. 땅에 닿자 녹는 게 아니라 고스란히 지층처럼 쌓였다. 내일 아침에는 사방이 눈에 갇혀 백색의 세상이 전개될 것 같았다. 바람마저 심상치 않게 불어 밖은 꽁꽁 얼어붙었다. 불현듯 세상이 거대한 얼음 창고 같다는 생각이 들었다. 혹여 푸른 기적 소리를 날리며 굽은 철길을 돌아 나오는 기차의 울음마저 회색빛으로 굳어 버리지 않을까.

얼마쯤 시간이 흘렀을까. 산간 간이역의 밤은 깊고도 추웠다. 꼭 누군가가 이편을 쳐다보고 있는 듯한 생각이 들었다. 밀랍처럼 서늘한 표정이 그대로 눈앞에 펼쳐지는 느낌이었다. 얇디얇은 과일의 껍질 같은 정밀한 눈길이었는데, 금방이라도 차가운 유리창을 투과해 버릴 것 같은 날카로운 시선이었다. 그러나 창밖에는 아무도 없었다. 환청처럼 환시를 보게 되는 경우가 있다는데 아마도 그런 현상일 터였다. 오늘 저녁은 집에 가는 것보다 대합실에서 있어야 할 것 같았다. 사촌 누나도 오늘은 퇴근하기가 어려울 것 같다고, 별수 없이 역에서 하루를 세워야 할 것 같다고 했다.

삼일은 갑자기 눈이 뜨였다. 자정이 가까워 오는 시간이었다. 아직 임시 열차가 역내에 들어오기에는 이른 시간이었다. 사촌 누나는 보이지 않았다. 사무실은 텅 비어 있었다. 삼일은 와락 겁이 났다. 무슨 일이 일어난 것이 아닌지 걱정이 들었다. 창밖에 눈을 대고 밖을 바라보았다. 어둠 저편에서 사람의 소리가 들렸다. 삼일은 서둘러 밖으로 나왔다.

"이러시면 안 돼요. 제발 그러시면 안 돼요."

사촌 누나의 목소리였다. 누나가 누군가에게 사정을 하고 있었다. 기차가 곧 들어올 시간인데 무슨 일일까 싶었다. 소리는 저편 신호기 앞쪽에 있는 철로 부근에서 들렸다. 누나는 누군가를 붙잡고 제발 이러지 말라고 통사정을 했다. 삼일은 소리가 나는 쪽으로 뛰다시피 했다. 찬바람이 불어와 귓가를 때렸고, 서슬에 가슴이 먹먹했다. 수북이 쌓인 눈 때문에 세상은 온통 새하얗게 변해 있었다.

가까이 다가가보니 상호 형이었다. 그는 커다란 마대자루를 들쳐 메고 있었다. 그 안에서 익숙한 소리들이 흘러나왔다. 고양이 소리였다.

"누나! 지금 뭐하는 거예요?"

"응 삼일아, 이 사람 좀 빨리 말려라. 도둑고양이들을 어떻게 한다고 이런다."

"상호 형 왜 그러세요? 이러면 안 돼요. 도대체 고양이들을 어떻게 하겠다는 거예요?"

삼일의 말에 그는 아무런 대꾸도 하지 않았다. 누나 말로는 간이역 주위의 도둑고양이를 죄다 잡았는데 한꺼번에 처리를 하겠다고 했다는 것이다. 삼일은 무슨 말인지 이해가 되지 않았다. 상호 형은 마대 자루를 철로에 고정을 시키고 있었다. 그는 "세상에서 가장 아름다운 소리를 듣게 해 주겠다."며 조금만 기다리라고 했다.

삼일은 그제야 무슨 말인지 이해할 것 같았다. 정말 이러다간 큰일이 나지 싶었다. 그의 팔을 잡고 밖으로 밀어냈지만 꿈쩍하지 않았다.

"삼일아 손 놔라. 너는 저리 가. 어서!"

정신이 조금 모자란 사람이라더니 정말로 그런 모양이었다. 어느 때보면 정상인 사람 같고 어느 때 보면 정신이 흐린 사람 같고 종잡을 수 없는 사람이었다.

그의 손을 다시 붙잡고 끌어내려다 그만 그가 휘두르는 손길에 삼일은 머리를 맞고 말았다. 두 눈에 불이 켜진 것처럼 뭔가 번뜩이더니 그만 정신을 잃었다. 그리고 얼마쯤 흘렀을까. 기차가 들어오는 소리와 함께 비명인지 울음인지 모를 낯선 소리가 허공에 울려 퍼졌다. 지금까지 들어본 적 없는 아름다운 화음 같기도 하고, 지옥에서나 들을 법한 추악한 음색 같기도 하고, 도무지 종잡을 수 없는 소리가 들려왔다. 삼일은 번쩍 눈이 뜨였다. 하얀 이불처럼 새하얀 눈이 몸을 덮고 있었다.

"당신을 힘들게 하는 저 소리들을 모두 없애 버리고 싶었어. 이제는 괜찮을 거야."

사촌 누나는 흐느끼고 있었고, 상호 형이 누나를 감싸 안고 있었다. 누나는 상호 형의 품에서 벗어나려 발버둥을 쳤지만 그럴수록, 그의 품에 안겨 들었다. 기차는 제자리에 정차하지 못했다.

어쩌면 누나 또한 상호 형을 맘에 두고 있었던 것은 아닐까. 상호 형은 매일 밤 냇가에서 낚시를 하는 대신, 도둑고양이들을 잡아들이고 있었던 모양이다. 오직 누나가 싫어하는 도둑고양이의 울음소리를 듣지 않게 하려고 말이다. 도시 이해할 수 없었다. 그날 밤 시간이 어떻게 지났는지 모른다. 삼일은 세상은 참 이해할 수 없는 게 너무 많다는 사실을 절감했다. 자신과 아버지를 떠나 버린 어머니도 이해하지 못하는데, 다른 무엇을 알고 이해한다는 게 거짓말처럼 느껴졌다.

대기리역이 무배치 간이역으로 격하되고 나서, 이제 이곳에서는 열차가 정차하지 않는다. 삼일의 눈에 이십여 년 전의 풍경이 빠르게 스치고 지나간다. 역사는 시간의 뒤안길로 사라졌지만, 여전히 기차는 이곳을 통과해 다음 역으로 달린다. 푸른 기적 소리를 울리며 거대한 지네 같은 열차가 목적지를 향해 내달리는 것이다. 기다리고 있었다는 듯이 가을바람이 발목을 휘감고 들었다.

삼일의 머릿속에 며칠 전 이곳에서 열차 사고로 죽은 상호 형의 얼굴이 떠올랐다. 그날 역에서의 소동 이후 그는 정신병원에 수용되었다. 그리고 그의 소식은 더 이상 듣지 못했다. 슈퍼를 했던 그의 어머니는 탄광 일을 하는 어느 아저씨를 만나 살림을 차렸지만 얼마 후 헤어졌다는 소식을 들었다. 그날 이후 사촌 누나 또한 더 이상 역장 일을 할 수 없었다. 예상했던 것보다 이곳을 빨리 떠나게 됐지만 누나는 그다지 기쁜 표정이 아니었다. 오히려 서운했던지 이삼 년만 이곳에서 더 역장 일을 봤으면 싶다고도 했다. 누나는 도시로 나가 어느 공장 경리로 취직을 했고 그곳에서 만난 남자와 결혼을 했다.

삼일은 역사가 있던 자리를 둘러본다. 그곳엔 정겨운 벤치가 놓여 있고 몇 개의 화분도 놓여 있다. 생각해 보니 어느 결에 자신의 나이가 당시 상호 형의 나이가 돼 있었다. 사촌 누나에 대한 상호 형의 감정은 사랑이었을까. 아니면 집착이었을까. 잠시 간이역에 머물다 떠나는 일상과도 같은 순간의 감정이었을까. 허공을 떠도는 한 줄기 바람처럼 늘상 불어오는 바람과 같은 것이었을까. 상호 형이 다시 이곳에 온 것은 무엇으로 설명할 수 있을

지 감이 잡히지 않았다.

멀리서 산 그림자가 마분지처럼 흔들리며 쇳바퀴의 낭창한 공명음이 들려온다. 무배치 간이역인 대기리역을 향해 또 한 대의 기차가 들어서고 있다. 자막을 찢고 달려 나오는 무성영화 속의 한 장면처럼 열차는 한미한 시골의 작은 간이역을 통과해 사라지고 만다. S자로 휘어진 철길 끝머리엔 삼각형 모양의 소철나무 한 그루가 위태롭게 서 있다. 수다한 소음에도 제법 튼실하게 뿌리를 내린 나무가 소스라치듯 몸을 떤다. 그 위로 미세한 검은 분진이 포르르 내려앉는다. 심장이 멎을 것처럼 어둠 속에 현란하게 부서져 내리던 그 소리는 지금도 삼일의 귓가에 울림으로 남아 있다. 겨울 하늘 아래로 부서져 내리던, 어떤 조종의 울림 같은 소슬하고 먹먹한 소리들. 시간이 지날수록 잊히지 않고 더더욱 또렷하게.

밤을 건너는 사람들

김용태_ 소설가

나는 박성천 작가를 소설가이기 전에 기자로 알고 지냈다. 그런데 어느새 세 번째 소설집이 나왔다. 세상을 내밀하게 들여다보는 직업을 가진 이들은 회의적인 시각을 갖는 경우가 잦은 법이라지만 그는 달랐다. 최소한 사람 박성천은 그랬다. 그런 그가 쓰는 소설이란 어떤 것일까.

일단 그의 소설들은 탄탄한 취재를 바탕으로 탄생했음을 느낄 수 있다. 그는 소설 속 배경이 된 대학, 군대, 탄광촌 등을 정밀묘사 하듯 그려 낸다. 물론 묘사는 양날의 검이다. 불필요한 묘사는 소설의 긴장감을 떨어트리고 글을 읽는 집중력을 저해시킨다. 그러나 탁월한 묘사는 작품의 깊이와 생동감을 더한다. 박성천의 묘사는 후

자에 가깝다고 말하고 싶다. 인물들 또한 마찬가지다. 각 인물들마다 선명한 모습이 떠오를 만큼 성실하게 그려지고 있다. 박성천은 이런 탄탄한 배경과 인물들을 골조로 하여 각 소설마다의 서사를 차분하게 전개한다.

이번 소설집에 실린 소설은 도합 다섯 편. 그 수가 많지는 않으나 건너뛸 소설은 없다. 매 편들이 작가가 의도한 저마다의 세계를 충실히 그려 내고 있으며 한 권의 책으로 엮이기 위한 공통적 주제의식을 내포하고 있다. 기본적으로 이 소설집에 실린 소설 속 인물들은 변두리의 인간들이다. 각 인물들이 처한 상황이 결코 녹록하지 않다.

박성천의 소설들에서 가장 눈에 띄는 특이점은 구조적인 것이다. 그의 소설 속 화자는 대개 관찰자로 등장하며 혹 주인공 시점일 경우조차 관찰자 시점 같은 묘한 느낌을 준다. 이는 작가의 오랜 기자생활이 작품세계에 반영된 것일 텐데 공교롭게도 이런 독특한 시점이 그가 다루고 있는 변두리의 삶을 살아가는 인물들을 묘사하는 데 절묘하게 부합한다.

소설에 대한 정의는 무수히 많다. 이는 소설이 정의 내려질 수 없음의 반증일 터다. 그럼에도 소설을 정의 내리려는 무수한 시도들은 수많은 소설가들이 저만의 방식으로 자신의 소설관을 확립하고 있기 때문일 것이다. 그리고 이는 작가가 세상을 보는 관점, 그리고 이를 대하는 태도와 긴밀한 관련이 있다. 박성천이 세상을 보는 관점은 애잔하고 때론 섬뜩하기도 하다. 그리고 그런 세상을 대하는 태도 자체는 객관적이다. 그는 굴곡 없는 시선으로 우리가 사는 세상을 덤덤히 그러나 거침없이 포착하고 있다.

*

「11월의 포장마차」의 시간은 대부분 밤중이다. 포장마차의 알전구들이 불을 밝히는 시간이다. 화자의 어머니가 장사를 하는 포장마차는 공단 인근에 위치하고 있어 지친 노동자들이 퇴근 후 목을 축이고 가는 곳이다. 문제는 경기 불황으로 공단 가동률이 많이 떨어졌다는 점이다. 이러한 배경이 겨울의 초입인 11월의 포장마차를 더욱 춥고 쓸쓸한 공간으로 바꾸어 놓는다.

화자는 제 주변 인물들을 성실히 묘사한다. 화자의 아버지는 공사판에서 추락 사고를 당한 뒤 거동조차 힘든 불구 신세다. 화자인 '나'는 취업과는 거리가 먼 문예창작과 학생 신분으로 등록금을 해결하지 못해 입대를 신청해 놓은 상태다. 경제적으로 앞날이 깜깜한 이 가족의 유일한 희망은 임용고시를 준비 중인 누나다. 그러나 우리는 알고 있다. 누나가 임용고시에 합격한들 이 가족의 가난이 해결됐다고는 말할 수 없음을 말이다. 물론 조금은 형편이 나아질 수도 있을 것이다. 그러나 누나의 임용고시는 디자이너란 본래의 꿈을 저당 잡힌 결과이다. 화자 또한 현재 문예창작과 학생이라고는 하지만 언제 그 꿈을 저버려도 이상하지 않은 상태다.

박성천은 이런 인물들이 처한 상황을 포장마차의 연탄불 묘사만으로 함축적이고 상징적으로 표현한다.

> 이웃한 불씨를 불러 새끼를 치고 그 새끼는 또 다른 불씨를 낳는다. 불의 대물림. 차츰차츰 퍼런 불꽃이 미세한 바람에 일렁이며 더 큰 불로 이어진다. 영화 속 어느 여주인공의 시퍼런 입술처럼 잔뜩 독을 품고 있는 불꽃의 향연. 며칠 전 고양이 엉덩이 뒤께로 새끼들이 빠져나오던 직전의 붉은 속살을 닮아 있다.
>
> -「11월의 포장마차」 부분

익히 알고 있듯 불은 정념, 축제, 에로틱, 소멸 등의 상징으로 수없이 쓰여 왔다. 그러나 「11월의 포장마차」의 도입부 묘사에 쓰인 불은 가난의 대물림을 상징한다. 동시에 그 불은 현재 이 가족이 생계를 꾸려 나갈 수 있는 유일한 끈이기도 하다. 이는 우리의 가난한 이웃들이 살아가는 단편적인 모습이다. 이 소설 속 구공탄의 또 다른 구멍에서 이는 불꽃 중 하나는 미순이란 인물이다. 포장마차의 단골인 미순을 '나'의 어머니는 조카 대하듯 한다. 술 마시러 온 손님에게 술 좀 작작 마시라고 잔소리를 한다. 이 잔소리에 온기가 담기는 것은 공단 노동자인 미순과 화자의 어머니의 처지가 별반 다름없다는 사실에 기인한다.

소설에서 수없이 쓰였던 가난이라는 소재는 언제부턴가 상대적 가난, 박탈감으로 이동하는 양상이다. 그러나 그런 근래의 양상과는 달리 이 소설에 등장하는 가난은 절대적 가난이다. 이 절대적 가난이란 소재는 오늘날에도 여전히 유효하다. 다만 가난이 수치의 대상으로 전락해 외관으로는 잘 드러나지 않을 뿐일지도 모른다. 「11월의 포장마차」는 그런 가난을 전면에 내세운다.

가난한 이들은 가난에서 벗어나기 위해 산다 해도 과언이 아니다. 남들보다 잘살기 위해, 남부럽지 않게 살기 위해, 남들만큼이라도 살기 위해서가 아닌 그저 살아남기 위해 산다. 이를 속된 말로는 죽지 못해 산다던가. 따라서 이 소설은 자칫 신파가 될 수도 있었다. 박성천은 그런 위험 요소를 구성을 통해 비껴간다.

> 그녀는 가볍게 웃는다. 웃는 표정이 모가지가 꺾인 들꽃처럼 쓸쓸하다. 여자는 닭발을 질겅질겅 씹어 먹는다. 이빨을 드러내지 않고 굳게 다문 채로 씹어 넘긴다.
>
> –「11월의 포장마차」 부분

화자는 자신을 희미하게 함으로써 주변 인물들을 부각시킨다. 이를테면 촬영 용어인 아웃포커스의 반대 개념인 셈이다. 실연을 당한 뒤 술을 마시는 미순을 보던 화자는 그녀가 불편해할까 봐 슬쩍 자리를 피해 준다. 그는 자신의 운명을 비관하는 대신 비슷한 처지의 인물들을 애잔한 시선으로 본다. 이 소설에 뭉근하게 감도는 열기는 이를 바탕으로 한 것이다.

미순은 퇴근 후 매일 밤마다 술을 마신다. 술을 마셔야 잠에 들 수 있다는 이유다. 그리고 이런 음주의 이유는 '나'의 어머니와 같은 부분이다. 한 잔의 술로 하루를 마감하는 사람들, 혹은 한 잔의 술이 있어야만 하루를 끝낼 수 있는 사람들. 이들에게 있어 잠은 휴식이나 다음 날로의 이행이 아닌 일종의 목적처럼 느껴진다. 작은 죽음과 같은 잠이다.

*

앞서 말했다시피 박성천의 소설들은 공간적 배경이 상당히 디테일하고 상징적이다. 앞서의 소설이 쇠락해 가는 공단이란 단일한 배경을 그리고 있다면 「하루」에는 대조적인 공간이 등장한다. 신도심인 플러스 행복지구와 신도심의 진입로에 위치한, 실상 도심 외곽인 원룸촌을 배경으로 소설은 전개된다.

실직한 화자가 사는 곳은 파크빌이란 원룸이다. 박성천은 화자가 사는 공간을 꽤 자세하게 설명한다.

이곳 사람들은 대부분 혼자 사는 이가 많았다. 가끔 외지인들이 방문했지만 많아야 일 년에 서너 차례였다. 그것도 하루 이틀 머물다 가는 터라 이곳 사람들은 거의 왕래가 없이 유배와도 같은 삶을 살았다. 원룸에는 현관마다 그리고 방범창을 두른 외벽마다 무거운 침묵이 흘렀다.

—「하루」 부분

「11월의 포장마차」와 달리 「하루」의 화자는 철저하게 혼자다. 그는 자신과 같은 처지의 사람들이 잠시 거쳐 가는 곳이 파크빌이라 인식하고 있다. 실직 후 화자의 생활은 규칙이 없고, 의미 있는 행위를 찾기가 어렵다. 그저 하릴없이 밤의 도심을 배회하는 것뿐이다. 그의 행동 중 가장 눈에 띄는 건 터프가이라는 펀치 게임을 하는 것 정도이다. 그의 이런 행동은 불안의 표출로 볼 수 있다.

그는 무엇이건 두들기고 싶었다. 그렇지 않고서는 어떤 불안과 그리고 두려움으로 자신을 주체할 수 없었다.

—「하루」 부분

「하루」 또한 작중 시간대는 주로 밤이다. 「11월의 포장마차」와 마찬가지로 이 소설 또한 사건 없는 일상성이 엿보인다. 이는 희망 없음을 말하는 소설들에서 흔히 보이는 구성이다. 그러나 「하루」의 경우는 뚜렷한 사건이 없음에도 미스터리한 옆집 여자의 존재로 인해 일정한 긴장감을 품고 간다.

무미건조한 그의 일상에 변수가 생긴 건 403호에 사는 옆집 여자의 등장이다. 처음 마주쳤을 당시 그녀는 옆구리에 새끼 고양이를 들고 있다. 여자는 남자의 인사조차 받지 않는다. 그런 그녀와 다시 재회한 곳은 유배지와 같은 파크빌이 아닌 플러스 행복지구에서다. 신도심의 상징적인 장소인 복합 쇼핑센터 1층에는 마네킹이 아닌 실제 사람이 마네킹처럼 디스플레이 되어 있다. 그 여자 모델 가운데 한 명이 403호 여자인 것이다.

이후 여자와의 재회는 뜻밖에도 여자가 화자의 집에 방문함으로써 이뤄진다. 여자는 다짜고짜 자신이 없는 동안 고양이 밥을 챙겨 달라고 부탁한다. 이후 시간이 흘러 고양이를 되찾아 간 여자는 그날 밤 화자의 집 앞에 고양이의 사체가 들어 있는 상자를 놓아두고 홀연히 사라진다.

고양이를 맡아 달라 부탁한 데 이어 고양이 사체의 처리까지 부탁한 여자. 하지만 화자는 여자에 대해 아는 게 없다. 서로에 대해 모르는 건 여자도 마찬가지로 「하루」가 「11월의 포장마차」에 비해 쓰린 건 이런 지점에 있다. 비슷한 처지일지도 모르는 사이지만 이들은 연대할 수도 위로할 수도 없다. 서로를 모르고 알려고 하지도 않는다. 같은 처지일 게 명백해 보임에도 불구하고 서로를 공감할 수 없다. 그리하여 화자는 사라진 옆집 여자가 마네킹 역할을 하는 사람이 아니라 진짜 마네킹이었을지도 모르겠다는 씁쓸한 생각까지 하게 되는 것이다.

*

쇠락해 가는 장소를 배경으로 한 소설로는 「무배치 간이역」이 더 있다. 제목이 암시하듯 역무원의 배치가 없는 간이역, 다시 말해 기차가 정차하지 않는 역이다. 한때 탄광촌으로서 광물을 운송하는 열차가 드나들던 곳이지만 연탄 수요의 급격한 하락세와 폐광이 맞물리며 무배치 간이역이 된 것이다.

삼일은 어린 시절부터 고향을 벗어나고 싶어 했다. 고향을 떠나 잡지사에 근무하면서 그의 소박한 꿈은 이뤄졌다. 그러나 몸은 떠났어도 그의 기억 깊은 곳에는 여전히 고향이 자리 잡고 있었을까. 동네 형이던 조상호가 간이역의 철로에서 변을 당했다는 소식이 그를 무배치 간이역으로 돌아오게 한다.

모든 회상이 그러하듯 삼일의 시간은 순식간에 고향에서의 시절로 거슬러 오른다. 아버지의 일을 이어받아 이십 대에 간이역 역장이 된 사촌 누나와 그런 사촌 누나를 짝사랑했던 것으로 추정되는 조상호의 기억을 더듬는다. 그 과정에서 그려지는 탄광촌의 묘사는 압권이다. 치밀한 취재가 없이는 불가능한 장면 묘사는 소설을 대하는 박성천 작가의 자세를 엿볼 수 있는 부분이다.

소설은 조상호라는 예측 불가한 인물로 인해 그로테스크한 분위기를 풍긴다. 그리고 소설의 말미에 이르러서 그는 마침내 끔찍한 사건을 벌이기에 이른다. 이 사건은 삼일이가 조상호에게 해 주었던 말에 의존한 것으로 그는 사촌 누나가 고양이 울음소리를 무서워한다고 했었다. 어딘가 약간 부족해 보이기도 혹은 순진해 보이기도 했던 조상호의 충격적인 행동의 동기는 사랑과 적의라는 감정에 기인한 것이다. 그러나 그의 이런 행동을 개인의 감정 문제로만 받아들이기에는 무리가 있다. 어쩌면 쇠락해 가는 마을, 모두가 떠나가고 싶어 하는 공간이 조상호를 극단적인 인물로 변모하게 만들지는 않았을까.

> "당신을 힘들게 하는 저 소리들을 모두 없애 버리고 싶었어. 이제는 괜찮을 거야."
>
> 사촌 누나는 흐느끼고 있었고, 상호 형이 누나를 감싸 안고 있었다.
>
> —「무배치 간이역」 부분

삼일은 당시 상황을 이해할 수 없었다. 조상호는 그날 일로 정신병원에 수용되고 사촌 누나도 역장 일을 그만두고 고향을 떠난다. 그녀 역시 삼일과 마찬가지로 고향을 떠나고 싶어 했던 인물이나 막상 떠나고 난 뒤로는 서운해 한다.

그곳을 떠날 수는 있어도 그곳에서의 기억으로부터 떠날 수는 없다. 삼일이 고향을 방문한 것도, 사촌 누나가 고향을 그리워하는 것도 그런 맥락일 것이다. 안타깝게도 우리는 끔찍했던 기억조차 완곡화 하다못해 추억으로 포장하기도 한다. 그리고 이는 사람이 살고자 하는 정신적 왜곡이기도 하다. 증오와 애착의 공존, 일종의 양가성이다.

대개 우리가 살아가는 현재는 우리의 과거를 덮을 만큼 아름답지도 충만하지도 않다. 그리하여 우리는 끊임없이 현재로부터 과거로 후퇴한다. 다만 그 과거는 오늘날 수용할 수 있을 정도로 윤색이 된 기억이다. 다시 말해 기억할 만한, 서사가 있는 현재가 없으면 과거도 없는 셈이 되는 것이다.

*

「미라」의 현재 없음은 진행형이다. 시간강사로 대학사회에 소속된 화자는 그가 속한 세계를 카스트보다 더한 계급 사회라고 말한다. 그리고 그의 아내와 그는 같은 대학 사회에 있지만 엄연히 다른 계급을 갖고 있다. 그의 아내는 전임교수다.

「미라」는 시간강사인 나와, 전임교수인 아내, 그리고

과거에 나와 잠시 인연이 있던 정연화라는 조선족 시간강사 세 사람의 관계를 그리고 있다. 정연화는 개인의 욕망을 쟁취하기 위해 조건부 연인 관계를 자청할 정도로 야욕이 있는 인물이다. 정연화가 화자에게 접근한 것도 그런 이유다. 화자는 분노하고 그런 정연화를 불편해한다. 정연화를 대하는 화자의 태도에는 이해할 수 없음과 대학사회에 대한 멸시가 묻어난다. 그리고 이런 멸시는 그가 대학 사회에서 받았던 모멸감으로부터 잉태된 것이다.

이 소설이 끔찍한 건 모멸을 견디지 않고는 주류 진입이 어려운 것으로 그려지고 있는 이유다. 이른바 모멸감을 느끼지 않고 상류 인생이 되는 게 가능할까, 라는 의구심이 들게 한다. 그리고 이 같은 질문은 화자의 아내의 비밀이 드러남으로써 극대화된다.

> 나는 아내가 폐경기가 됐다는 말을 들은 이후부터 곧잘 이상한 꿈을 꾸었다. 기이하고 해독이 불가능한 꿈이었다. 나는 꿈속에서 미라로 변한 내 모습을 보곤 했다. 새하얀 석회석을 뒤집어쓴 미라. 어두컴컴한 땅속에서 미라로 변한 나를 발굴한 사람은 공교롭게도 아내였다. 고고학 분야에서 촉망받는 젊은 학자로 주

목을 받는 아내는 발견된 미라가 어느 부족 어느 인종에도 속하지 않는 새로운 계통의 인류라고 주장했다.

—「미라」 부분

유적 발굴을 위해 장기간 집을 비우는 일이 잦던 아내. 그리고 그때마다 무덤 같은 아파트에서 미라처럼 지내야 했던 화자. 어쩌면 두 사람의 비극은 두 사람의 관계에 의해 암시되고 있었는지도 모른다. 부부의 섹스는 철저한 협상으로 이뤄졌고 연례행사처럼 이뤄지는 성관계를 제외하면 딱히 부부라 인식되는 경우조차 없다 싶었다. 화자는 아내 덕분에 생계가 가능하다고 안심을 하면서도 정작 아내를 사랑하지는 않았다. 그가 아내를 사랑할 수 없었던 이유에는 그들이 속한 세계의 영향도 있다. 대학 사회의 철저한 계급이 의도치 않게 집안에서도 이어지고 있었는지도 모른다. 계급에 의한 관계는 진심이 있든 없든 그 진심을 오롯하게 바라볼 힘을 앗아 가기 마련이다. 그러니 설령 그 안에 사랑이 있다 한들 인식할 여력은 없다.

*

본 소설집에서 가장 능동적인 인물이 등장하는 작품으로는 「어떤 기별」을 꼽고 싶다. 이 소설은 얼마간 스릴러적 기법을 차용하고 있다. 다른 작품들의 구조가 인물-사회의 구도인데 비해 「어떤 기별」은 대적자가 형상화된 인물로 등장한다. 함정에 빠진 주인공, 주인공을 끊임없이 위험에 빠트리는 안타고니스트가 등장하고 이들의 관계가 연쇄적인 서스펜스 속에서 작동한다. 스릴러에서 서스펜스를 작동하는 주요 방법 중 하나는 인물 간의 대사다. 그리고 그 대사에는 반드시 거절이 있어야 한다. 거절은 긴장을 낳는다. 정우식 일병과 최 병장의 관계는 이런 긴장 관계에 놓여 있다.

「미라」가 철저히 계급화 된 대학 사회를 그리고 있다면 「어떤 기별」은 그보다 선명한 계급 사회인 군대를 배경으로 한다. 정우식 일병을 괴롭히는 최 병장은 구타와 같은 직접적인 폭력보다 한층 교활한 폭력을 사용한다. 최 병장은 중대장이 애지중지하는 셰퍼트를 전담하여 관리하는데 손으로 셰퍼트를 수음시켜 줌으로써 길들이는 행위조차 서슴지 않는다. 그의 이 같은 행동이 비열한 건 셰퍼트가 중대장의 대리나 마찬가지라는 데 있다. 반면 슈퍼의 노파가 키우던 복순이를 대할 때의 최 병장은 잔학하기만 하다. 동시에 최 병장은 군법을 아무렇지 않게 어기기도 하고, 일탈 행위에 자신은 전면적으로 나서지 않는 야비함을 보인다. 그는 우식으로 하여금 몰래 영지를 이탈해 술을 사 오라는 심부름을 시킨다. 이는 세상을 보는 박성천 작가의 관점이 엿보이는 부분이기도 하다. 그는 세상의 잔인한 뒷면을 여실히 아는 작가다. 그리고 「어떤 기별」에서는 그 폭력성을 보다 날카롭게 드러내고 있다.

> "정 일병, 난 말야 제대 기념으로 셰퍼드의 피를 이어받은 새끼 한 마리를 갖고 싶어. 지금까지 저 녀석만큼 용맹하고 영리한 개를 못 봤어. 제대할 무렵쯤이면 저 똥개가 셰퍼드의 새끼를 낳을 수 있을 것 같은데."
>
> -「어떤 기별」 부분

최 병장은 제대 후 사회로 돌아가 어떤 사람으로 살까. 그가 군대에서 배운 것은 불법과 폭력, 그리고 비열함이다.

셰퍼트가 복순이를 겁탈하게 하려는 최 병장의 계획은

우식으로 하여금 마침내 행동하게 한다. 우식은 자신에게 가해진 폭력과 모멸감은 견뎠지만 복순이에게 가해질 폭력 앞에 움직이는 인물이다. 그러나 폭력에 맞선 그의 폭력은 또 다른 폭력으로 작동할 수밖에 없다.

박성천의 소설에 등장하는 인물들은 절박하지 않고 절망적이다. 그런 인물들을 보며 혹자는 무기력하다고 눈살을 찌푸릴 수도 있다. 그러나 버티는 것 자체가 절박함인 이들에게는 그 절박함마저도 절망이라는 탈을 쓰고 나타날 수밖에 없다.

소설이 문학인 이유들 중 여전한 것 하나는 실패를 다룬다는 점이다. 물론 우리가 살아가는 동안에 언젠가는 기적이 일어날 수도 있다. 그러나 그 기적을 일상이라 부르진 않는다. 대개의 소설은 기적이 아닌 일상을 다룬다. 그리고 박성천이 바라보고 있는 일상이란 이토록 아릿하고 힘겹고 때론 끔찍한 것이다.

그럼에도 우리가 문학을 읽는 이유는 뭘까. 우리를 둘러싼 세계가 정의롭기만 하다면, 모든 사람들이 서로를 보듬을 수 있는 사람들이라면 아마도 문학의 존립은 어려울 것이다. 사랑이 넘치는 세상의 사랑은 예술의 옷을 입을 필요가 없다. 부조리가 없는 세상에 부조리를 다룬 문학은 성립될 수 없다. 그렇다고 해서 문학이 직접적으로 세상을 바꾼다고 말할 수는 없다. 다만 좋은 문학 작품은 다른 이의 삶과 세상을 굴절 없이 들여다볼 수 있게 해 준다. 이를 통해 세상을 대하는 우리의 태도를 얼마간 점검할 수 있게 해 주기도 한다. 그러나 그런 문학을 하는 삶은 얼마나 쓸쓸한가. 아득한가. 박성천은 그럼에도 섣불리 희망을 말하지 않는 작가다. 그의 또 다른 작품들을 고대하는 이유다.

이번 작품집은 세 번째 소설집이다. 2000년 신춘문예 당선을 계기로 창작을 시작했으니 어느새 20년이라는 시간이 흘렀다. 결코 짧지 않은 기간, 내게도 곡절과 역동의 시간이 있었다. 주저앉고 싶은 적도 있었고, 가고 있는 길이 아득하여 다른 길로 들어설까 고민했던 적도 있었다. 그러나 마지막까지 놓지 않았던 것은 소설에 대한 생각이었다. 창작에 대한 열정이라기보다 '소설적 상황', '소설적 삶'에 대한 나름의 사유와 단상을 견지했던 것 같다. 삶의 복잡다단함과 우연성, 현실 이면에 감춰진 다양한 무늬와 진실은 결코 소설이 아니고는 접근할 수 없고 드러낼 수 없기 때문이다. 마치 우아해 보이는 물 위의 백조가 수면 아래에선 한시도 쉬지 않고 부지런히 물갈퀴를 휘젓는 것처럼, 삶은 그러한 양상으로 전개되는 게 일반적이다. 소설을 쓰고 소설에 관심을 가지는 이유도 그것과 무관치 않다. 어쩌면 물 위보다는 물속을, 외양보다는 내면을, 사실보다는 진실에 더 가까이 다가갈 수 있는 유일한 통로가 소설이라는 장르가 아닌가 싶다.

글을 쓰는 일이 쉽지 않은 것은 사실이다. 물론 세상의 어떤 '밥벌이'도 쉬운 분야는 없다. 나름의 대가를 지불해야만 비로소 '밥'을 얻을 수 있다는 것은 부정할 수 없는 진리다. 글을 쓰면서 문득문득 과연 나는 '밥벌이'를 제대로 하고 있는가 물을 때가 있다. 그때마다 부끄러울 때가 적지 않다. 최소한 그 밥만큼의 무게에 값하는 글을 쓰자고 속다짐을 했지만 실상은 그렇지 못한 적이 많다. 농부의 마음을 차마 안다고 할 수는 없지만 어린 시절 보았던 아버지의 농사를 짓는 모습과 자세에서, 어렴풋이 글을 쓰는 답을 찾고자 한다. 햇볕, 바람, 물, 온도, 공기와 같은 자연의 부조에 앞서 순수한 농심 그리고 땅에 대한 사랑과 열정이 있어야 비로소 농부라 부를 수 있고, 농사를 지을 수 있는 자격이 주어질 것이다.

많이 부족한 작품들이다. 이번 소설집은 컴퓨터 폴더 속에 잠자고 있던 작품들을 개작한 것들이다. 시간의 흐름 속에 처음 구상했던 내용들은 달라졌지만 한 편의 이야기로 구성되어 가는 과정을 지켜보는 것은 소소한 즐거움이다. 미흡하지만 그럼에도 내 손가락이고, 내 목소리의 일부다. 애잔함이 남는 것은 어쩔 수 없다.

앞으로 10년, 20년 뒤에는 지금과는 다른 작품, 다른 글을 쓰고 싶다. 쓸쓸하고 허허로운 시절이지만 그럼에도 글을 쓸 수 있다는 사실 자체에 감사를 드린다. 이런 저런 글을 쓴다는 핑계로 가족들과 함께하지 못한 시간들이 너무 많았다. 묵묵히 감내해 준 와이프와 아들에게 고마움을 전한다. 그리고 좋은 책을 만들어 주신 출판사 문학들 송광룡 대표님과 편집자분들께도 감사를 전한다.

2019년 겨울

박성천

하루 박성천 소설집

초판1쇄 찍은 날 | 2019년 12월 27일
초판1쇄 펴낸 날 | 2019년 12월 31일

지은이 | 박성천
펴낸이 | 송광룡
펴낸곳 | 문학들
등록 | 2005년 8월 24일 제 2005 1-2호
주소 | 61489 광주광역시 동구 천변우로 487(학동) 2층
전화 | 062-651-6968
팩스 | 062-651-9690
전자우편 | munhakdle@hanmail.net
블로그 | blog.naver.com/munhakdlesimmian
값 12,000원

ISBN 979-11-86530-83-2 03810

· 이 책은 광주광역시 GWANGJU CITY 광주문화재단 Gwangju Cultural Foundation 의
2019년도 지역문화예술특성화지원사업으로 지원받아 발간되었습니다.